Sigmund Freud

# Trois essais sur la théorie de la sexualité

*Traduit de l'allemand*
*par B. Reverchon-Jouve*

Gallimard

*Titre original :*

DREI ABHANDLUNGEN ZUR SEXUALTHEORIE

*tiré de :* Sigmund Freud, GESAMMELTE WERKE, Band V.
S. Fischer Verlag GmbH, Frankfurt am Main.

Sigismund Freud naît à Freiberg (Moravie) le 6 mai 1856 (vingt ans plus tard, il changera son prénom en Sigmund). Il a quatre ans quand sa famille émigre à Vienne. Il ne quittera cette ville qu'en 1938, au lendemain de l'*Anschluss*, pour trouver refuge à Londres, où il meurt le 23 septembre 1939.

Médecin, Freud s'est d'abord spécialisé dans l'anatomie et la physiologie du système nerveux. En 1885, il est nommé *Privat Dozen* en neuropathologie. Après son stage à Paris dans le service de Charcot, dont il traduira les fameuses *Leçons du mardi*, il s'oriente davantage vers la psychopathologie et l'étude des névroses, notamment de l'hystérie. Il renonce progressivement à l'hypnose et à la suggestion pour la méthode dite des « associations libres ». En 1896, apparaît pour la première fois dans un article publié en français le mot « psycho-analyse ».

Beaucoup plus tard, Freud définira ainsi la psychanalyse qu'il a fondée :

1° procédé par l'investigation de processus psychiques à peu près inaccessibles autrement ;

2° méthode fondée sur cette investigation pour le traitement des désordres névrotiques ;

3° série de conceptions psychologiques acquises par ce moyen et qui s'accroissent ensemble pour former progressivement une nouvelle discipline scientifique.

L'œuvre de Freud, en constante évolution, couvre un champ immense : du rêve à l'art, de la névrose au processus civilisateur, de la psychopathologie de la vie quotidienne à la psychologie des masses.

*Les* Trois essais sur la sexualité, *dont la première édition allemande remonte à 1905, ont fait l'objet d'éditions successives (1910, 1915, 1920, 1922, 1924) dans lesquelles Freud, tenant compte de ses découvertes nouvelles, remaniait, par des modifications et des ajouts souvent très importants, son texte originel.*

*Le texte qu'on trouvera ici est le texte définitif. Nous avons cru utile d'indiquer les principaux passages remaniés en les plaçant entre crochets [] et en les faisant suivre de la mention (ajouté en…) ou (modifié en…).*

*En effet, de nombreux lecteurs ne manquaient pas d'attribuer au Freud de 1905 des conceptions qu'il n'élabora que dix ou quinze ans plus tard, par exemple les notions de narcissisme, d'organisation prégénitale, de théorie sexuelle infantile, etc.*

*Cette traduction est celle qui fut publiée en 1923. Quelques modifications lui ont été apportées, dans un souci de précision, notamment pour tenir compte de la terminologie psychanalytique aujourd'hui plus fixée en France qu'elle ne l'était à cette époque.*

*Je remercie Jean Laplanche et J.-B. Pontalis d'avoir bien voulu se charger de cette révision.*

Dʳ BLANCHE REVERCHON-JOUVE.

En mémoire du travail fait en 1923
avec Bernard Groethuysen.

*Après avoir eu l'occasion d'observer pendant dix ans l'attitude du public à l'égard de ce livre, je voudrais ajouter à cette troisième édition quelques remarques qui serviront à écarter des malentendus et prévenir les déceptions possibles. Avant tout, nous insisterons sur ce fait que notre analyse repose sur des expériences quotidiennes de médecin, que la méthode psychanalytique doit approfondir, et dont elle doit dégager la valeur scientifique. Les trois essais sur la sexualité ne peuvent contenir que ce que la psychanalyse reconnaît ou pourra confirmer. C'est pourquoi il semble exclu que de ces essais puisse sortir une théorie de la sexualité ; et on comprendra aussi que nous n'ayons pas pris position sur certains problèmes essentiels de la vie sexuelle, qui, cependant, paraissent avoir une grande importance. Toutefois, je ne voudrais pas que l'on pût croire que l'auteur ait délibérément ignoré ces problèmes, ou qu'il les ait laissés de côté en ne leur attribuant qu'une importance secondaire.*

*Ce n'est pas seulement dans le choix des problèmes, mais encore dans l'ordre de notre étude, que l'on reconnaîtra combien ce livre dépend de l'explication psychanalytique qui, d'ailleurs, nous incite à l'écrire. La méthode que nous* suivons est caractérisée par le fait que, dans toute cette description, nous mettons au premier plan les facteurs conditionnés par l'extérieur, tandis que les facteurs constitutionnels restent au second plan ; nous donnons au développement ontogénétique la priorité sur le développement phylogénétique. En effet, les manifestations conditionnées par l'extérieur forment l'objet principal de l'analyse, qui peut les interpréter presque en totalité. Les manifestations constitutionnelles n'apparaissent qu'à l'arrière-plan en quelque sorte, et sont réveillées par l'expérience de la vie ; vouloir les apprécier complètement, c'est dépasser le domaine de la psychanalyse.

Il y a un rapport analogue entre l'ontogénèse et la phylogénèse. L'ontogénèse peut être considérée comme une répétition de la phylogénèse toutes les fois où cette dernière n'est pas modifiée par une expérience plus récente. La disposition phylogénique transparaît au travers de l'évolution ontogénétique. Mais, au fond, la constitution n'est que le sédiment d'une expérience antérieure, auquel s'ajoute une expérience nouvelle et individuelle.

Si le résultat de mes études dépend étroitement des données de la psychanalyse, je dois, d'autre part, revendiquer pour ce travail son indépendance de toute recherche biologique. J'ai soigneusement évité de m'engager dans les perspectives que nous ouvre la biologie sexuelle générale ou particulière à des espèces déterminées, et je me suis tenu à l'étude des fonctions sexuelles de l'homme en usant de la technique psychanalytique. Mon but était de rechercher dans quelle mesure la psychologie peut nous fournir des indications sur la biologie de la vie sexuelle de l'homme. Ainsi, il m'a été permis de mettre en lumière certains rapports et faits concordant dans ces deux domaines, sans que je me sois cru obligé, toutefois, à abandonner certaines thèses lorsque, sur des points essentiels, la psychanalyse me conduisait à des opinions et à des résultats ne concordant pas avec ceux de la biologie.

*Vienne, octobre 1914.*

*Les événements de la guerre n'ont pas diminué l'intérêt que le public témoigne à la psychanalyse. Toutefois, cet intérêt ne se porte pas également sur toutes ses parties. Si les parties purement psychologiques de la psychanalyse, relatives à l'inconscient, au refoulement, au conflit déterminant des troubles morbides, au bénéfice de la maladie, au mécanisme de la formation des symptômes, sont de plus en plus généralement admises et prises en considération, même par nos adversaires, la partie de la doctrine qui touche à la biologie, et dont les idées fondamentales sont exposées dans cet écrit, rencontre au contraire l'opposition de nombreux adversaires ; et même, parmi les penseurs qui, pendant un temps, se sont adonnés à la psychanalyse, plusieurs l'ont abandonnée et ont proposé de nouvelles hypothèses qui devraient restreindre le rôle de l'élément sexuel dans la vie normale et pathologique.*

*Pourtant, je ne puis me résoudre à admettre que cette partie de la doctrine psychanalytique s'éloigne plus que les autres de la réalité. Mes souvenirs et un examen toujours répété de la question me prouvent que la théorie est fondée sur des observations faites avec soin et sans parti pris : et, d'autre part, je m'explique aisément l'attitude du public. Disons d'abord que seuls sont en état de confirmer les hypothèses émises sur le début de la vie sexuelle chez l'homme, les observateurs qui possèdent une patience suffisante, une méthode assez sûre pour pouvoir pousser l'analyse jusqu'à l'enfance du malade. Souvent, d'ailleurs, il n'est pas possible de procéder ainsi, la médecine devant obtenir une guérison rapide, tout au moins en apparence. Personne, à l'exception des médecins qui exercent la psychanalyse, n'a en vérité accès à ce domaine, et par conséquent ne peut former un jugement qui ne sòit déterminé par ses propres antipathies et ses préjugés. Si les hommes savaient vraiment apprendre de l'observation directe des enfants, nous aurions pu nous épargner la peine d'écrire ce livre.*

*Il faut ensuite se souvenir du fait que certains passages du présent écrit — ceux qui insistent sur l'importance de la vie sexuelle dans toute l'activité humaine, ceux où nous essayons d'élargir la notion de sexualité — ont, de tout temps, servi de prétextes aux résistances contre la psychanalyse. En usant de mots retentissants, on est allé jusqu'à parler du pansexualisme de la psychanalyse, et à lui faire le reproche extravagant de « tout » expliquer par la sexualité. On pourrait s'étonner de ces faits, si l'on pouvait oublier l'effet des passions qui troublent les esprits, et leur fait perdre le souvenir de bien des choses. Il y a déjà pas mal de temps que Schopenhauer montrait aux hommes dans quelle mesure toute leur activité est déterminée par les tendances sexuelles. Ce mot étant pris dans son sens habituel, comment se fait-il que l'on ait complètement oublié une doctrine aussi impressionnante ? Enfin, en ce qui concerne l'extension donnée par nous à l'idée de sexualité, extension que nous imposait la psychanalyse des enfants et de ce qu'on appelle des pervers, nous répondrons à ceux qui, de leur hauteur, jettent un regard de mépris sur la psychanalyse, qu'ils devraient se rappeler combien l'idée d'une sexualité plus étendue se rapproche de l'Éros du divin Platon* [1].

*Vienne, mai 1920.*

# I

## *Les aberrations sexuelles* [2]

Pour expliquer les besoins sexuels de l'homme et de l'animal, on se sert, en biologie, de l'hypothèse qu'il existe une « pulsion sexuelle » ; de même que pour expliquer la faim, on suppose la pulsion de nutrition. Toutefois, le langage populaire ne connaît pas de terme qui, pour le besoin sexuel, corresponde au mot faim ; le langage scientifique se sert du terme : « *libido* »[3].

L'opinion populaire se forme certaines idées arrêtées sur la nature et les caractères de la pulsion sexuelle. Ainsi, il est convenu de dire que cette pulsion manque à l'enfance, qu'elle se constitue au moment de la puberté, et en rapport étroit avec les processus qui mènent à la maturité, qu'elle se manifeste sous la forme d'une attraction irrésistible exercée par l'un des sexes sur l'autre, et que son but serait l'union sexuelle, ou du moins un ensemble d'actes qui tendent à ce but.

Nous avons toutes les raisons de croire que cette description ne rend que très imparfaitement la réalité. Si on l'analyse de près, on y découvre une foule d'erreurs, des inexactitudes et des jugements précipités.

Commençons par fixer deux termes. La personne qui exerce un attrait sexuel sera désignée comme *objet sexuel,* et l'acte auquel pousse la pulsion sera nommé *but sexuel.* L'expérience scientifique nous prouve qu'il existe de nombreuses déviations relatives tantôt à l'objet, tantôt au but sexuel, et il nous faudra chercher à approfondir les rapports qui existent entre ces déviations et ce qu'on estime être l'état de choses normal.

## I. DÉVIATIONS SE RAPPORTANT
### A L'OBJET SEXUEL

Nous trouvons la meilleure interprétation de la notion populaire de pulsion sexuelle dans la légende pleine de poésie selon laquelle l'être humain fut divisé en deux moitiés — l'homme et la femme — qui tendent depuis à s'unir par l'amour. C'est pourquoi l'on est fort étonné d'apprendre qu'il y a des hommes pour qui l'objet sexuel n'est pas la femme, mais l'homme, et que de même il y a des femmes pour qui la femme représente l'objet sexuel. On appelle les individus de cette espèce : homosexuels, ou mieux, invertis, et le phénomène : *inversion.* Les invertis sont certainement fort nombreux, encore qu'il soit souvent difficile de les identifier [4].

## A. L'inversion.

LE COMPORTEMENT DES INVERTIS. — On distingue, chez les invertis, les types suivants :

*a)* Les invertis *absolus,* c'est-à-dire ceux dont la sexualité n'a pour objet que des individus appartenant au même sexe qu'eux, tandis que les individus de l'autre sexe les laissent indifférents, ou même provoquent chez eux une aversion sexuelle. S'il s'agit de l'homme, il sera, du fait de cette aversion, incapable de l'acte sexuel normal, ou du moins il n'y trouvera aucun plaisir.

*b)* Les invertis *amphigènes* (hermaphrodisme psychosexuel), c'est-à-dire ceux dont la sexualité peut avoir pour objet indifféremment l'un ou l'autre sexe. Le caractère d'exclusivité manquera donc à ce type d'inversion.

*c)* Les invertis *occasionnels.* L'inversion est alors déterminée par les circonstances extérieures, en particulier par l'absence d'un objet sexuel normal, ou par l'influence du milieu.

Les invertis se comportent différemment quant au jugement qu'ils portent eux-mêmes sur leur particularité sexuelle. Pour les uns, l'inversion est une chose aussi naturelle que, pour l'être normal, l'orientation de sa libido. Ils réclament le droit pour l'inversion d'être mise sur le même plan que la sexualité normale. D'autres sont en révolte contre le fait de leur inversion, et l'éprouvent comme une compulsion morbide [5].

On distingue aussi différents types d'inversion,

selon la période de la vie où ces manifestations sexuelles ont apparu. L'inversion semble avoir existé chez les uns aussi longtemps que la mémoire peut atteindre. Chez d'autres, elle s'est manifestée à un moment déterminé, avant ou après la puberté[6]. Cette caractéristique sexuelle peut se conserver toute la vie, ou bien disparaître momentanément ; elle peut n'être qu'un épisode vers une évolution normale. Elle peut enfin apparaître tardivement, après une longue période de sexualité normale. On a même signalé des cas d'oscillations périodiques entre un objet sexuel normal et un objet inverti. Sont particulièrement intéressants les cas où la libido s'oriente vers l'inversion après une expérience douloureuse faite sur un objet sexuel normal.

Ces différentes séries de variations sont généralement indépendantes les unes des autres. Dans les formes les plus extrêmes, celles de l'inversion intégrale, on peut admettre que la particularité sexuelle apparaît tôt dans la vie et que l'individu vit en bonne intelligence avec elle.

Nombre d'auteurs se refuseront sans doute à rassembler en un tout ces différents cas énumérés, en insistant sur les différences qu'ils présentent, plutôt que sur les similitudes, ce qui répond mieux aux vues qu'ils ont sur l'inversion. Mais, si légitimes que soient les divisions, on ne saurait méconnaître que tous les degrés intermédiaires peuvent se rencontrer, en sorte que la notion de la série semble s'imposer.

THÉORIE DE L'INVERSION. — L'inversion fut, tout

d'abord, considérée comme le signe d'une dégénérescence nerveuse congénitale. Cela s'explique par le fait que les premières personnes chez lesquelles les médecins ont observé l'inversion étaient des névropathes, ou du moins en avaient toutes les apparences. Cette thèse contient deux affirmations qui doivent être jugées séparément : l'inversion est congénitale, l'inversion est un signe de dégénérescence.

DÉGÉNÉRESCENCE. — L'emploi inconsidéré du terme dégénérescence, ici comme partout ailleurs, soulève des objections. On s'est peu à peu habitué à appeler dégénérescence toute manifestation pathologique dont l'étiologie n'est pas évidemment traumatique ou infectieuse. Selon la classification des dégénérés par Magnan, il est devenu possible d'appliquer le terme de dégénérescence à des cas où le fonctionnement du système nerveux est parfait. Quels peuvent être alors la valeur et le contenu nouveau de cette notion de dégénérescence ? Il semble préférable de ne pas parler de dégénérescence dans les cas suivants :

1° Quand il n'y a pas coexistence d'autres déviations.

2° Quand l'ensemble des fonctions et activités de l'individu n'a pas subi de graves altérations [7].

Que les invertis ne soient pas en ce sens des dégénérés, cela ressort d'un ensemble de faits :

1° On rencontre l'inversion chez les sujets qui ne présentent pas d'autres déviations graves.

2° On la trouve chez des sujets dont l'activité générale n'est pas troublée, et dont le développement moral et intellectuel peut même avoir atteint un très haut degré [8].

3° Lorsqu'on se place à un point de vue plus général que celui des cliniciens, on rencontre deux catégories de faits qui interdisent de considérer l'inversion comme un stigmate de dégénérescence :

*a)* Il ne faut pas oublier que l'inversion fut une pratique fréquente, on pourrait presque dire une institution importante chez les peuples de l'Antiquité, à la période la plus élevée de leur civilisation.

*b)* L'inversion est extrêmement répandue parmi les peuplades primitives et sauvages, alors que le terme de dégénérescence ne s'applique d'ordinaire qu'aux seules civilisations évoluées (I. Bloch). Et même parmi les différents peuples civilisés de l'Europe, le climat et la race ont une influence considérable sur la fréquence de l'inversion et l'attitude morale à son égard [9].

CARACTÈRE CONGÉNITAL DE L'INVERSION. — On a considéré l'inversion comme congénitale chez les seuls invertis absolus, et, pour l'affirmer, on s'est fondé sur le témoignage des malades eux-mêmes, qui prétendaient n'avoir jamais connu, à aucun moment de leur vie, une autre orientation de la pulsion sexuelle. Mais le fait qu'il existe deux autres catégories d'invertis, et en particulier des invertis occasionnels, se concilie mal avec l'hypothèse d'un caractère congénital de l'inversion. C'est aussi pourquoi les défenseurs d'une telle hypothèse ont une tendance marquée à isoler la catégorie des invertis absolus, ce qui amènerait à renoncer à une explication unique et générale de l'inversion. Il faudrait donc admettre que, dans un certain nombre de cas, l'inversion a un caractère congénital, et que, dans les autres cas, son origine est différente.

A l'opposé de cette conception, se trouve celle qui fait de l'inversion un caractère *acquis* de la pulsion sexuelle, en s'appuyant sur les faits suivants :

1° on peut retrouver, chez de nombreux invertis, et même chez des invertis absolus, au début de leur vie, une impression sexuelle dont l'homosexualité n'est que le prolongement et la suite ;

2° chez d'autres, également nombreux, ce sont les circonstances favorables ou défavorables qui ont fixé l'inversion plus ou moins tard (commerce exclusif avec des personnes du même sexe, promiscuité en temps de guerre, séjours dans les prisons, crainte des dangers que présentent les rapports hétérosexuels, célibat, impuissance, etc.) ;

3° la suggestion hypnotique peut supprimer l'inversion, ce qui paraîtrait bien étonnant si l'on admettait le caractère congénital.

En se plaçant à ces points de vue, on peut être amené à nier entièrement l'existence d'une inversion congénitale. Ainsi on pourra dire (Havelock Ellis) qu'un examen plus attentif des cas d'inversion soi-disant congénitaux mettra en lumière, selon toutes probabilités, un événement de la petite enfance ayant eu sur l'orientation de la libido une influence décisive, et qui, bien que disparu de la mémoire consciente, peut être rappelé par une technique appropriée. Pour les défenseurs d'une telle conception, l'inversion ne serait qu'une des multiples variations de la pulsion sexuelle, déterminée par le concours de circonstances extérieures.

Cette affirmation, apparemment si plausible, ne tient pas devant ce fait facile à contrôler : nombreux sont les individus qui ont connu ces mêmes expériences sexuelles dans la prime jeunesse (séduction, onanisme mutuel) sans devenir pour cela des invertis, ou tout au moins sans l'être de façon durable. Ainsi, l'on est conduit à supposer que l'alternative entre le caractère congénital et le caractère acquis n'épuise pas l'ensemble des faits, ou ne s'adapte pas aux différentes modalités de l'inversion.

EXPLICATION DE L'INVERSION. — Que l'on admette l'une ou l'autre théorie, que l'inversion soit congénitale ou qu'elle soit acquise, sa nature n'est pas expliquée. Selon la première hypothèse, il faudra préciser ce qui, dans l'inversion, est inné, à moins que l'on ne s'en tienne à l'explication grossière qui consiste à dire qu'un être apporte en naissant une pulsion sexuelle déjà liée à un objet sexuel déterminé. Dans la seconde hypothèse, la question se pose de savoir si les différentes influences accidentelles suffiraient à expliquer le caractère acquis sans qu'il soit nécessaire de faire intervenir une disposition individuelle quelconque, ce qui, d'après ce que nous savons, n'est guère possible.

RÔLE DE LA BISEXUALITÉ. — Depuis Frank Lydston, Kiernan et Chevalier, on a fait intervenir, pour expliquer le fait de l'inversion, une théorie qui est en opposition avec l'opinion populaire. D'après elle, l'être humain doit être, soit un homme, soit une femme. La science nous fait connaître des cas où tous les caractères sexuels ont disparu, où par conséquent la détermination sexuelle devient malaisée, et cela tout d'abord du point de vue anatomique. Chez ces individus, les organes génitaux sont à la fois mâle et femelle (hermaphrodisme). Dans quelques cas exceptionnels, les organes génitaux des deux sexes coexistent l'un à côté de l'autre (véritable hermaphrodisme) ; le plus souvent, on constate une atrophie de l'un et de l'autre [10].

Ces anomalies sont intéressantes en ce qu'elles jettent une lumière inattendue sur l'anatomie normale. Un certain degré d'hermaphrodisme anatomique est normal. Chez tout individu, soit mâle, soit femelle, on trouve des vestiges de l'organe génital du sexe opposé. Ils existent soit à l'état rudimentaire et sont privés de toute fonction, ou bien se sont adaptés à une fonction différente.

La notion qui découle de ces faits connus depuis longtemps déjà est celle d'un organisme bisexuel à l'origine, et qui, au cours de l'évolution, s'oriente vers la monosexualité, tout en conservant quelques restes atrophiés du sexe contraire.

On peut transporter cette conception dans le domaine psychique et comprendre l'inversion dans ses variantes, comme l'expression d'un hermaphrodisme psychique. Pour trancher la question, il aurait fallu pouvoir constater une coïncidence régulière entre l'inversion et les signes psychiques et somatiques de l'hermaphrodisme.

Mais les observations ne confirment pas cette conception. Les rapports de l'hybridité psychique avec l'hybridité anatomique évidente ne sont certes pas aussi intimes, aussi constants qu'on a bien voulu le dire. Ce que l'on trouve chez les invertis, c'est une diminution de la pulsion sexuelle (Havelock Ellis), et une légère atrophie de l'organe ; ceci est fréquent, mais ce n'est pas constant, et l'on ne le trouve même pas dans la majorité des cas. En sorte qu'il faut admettre que l'hermaphrodisme somatique et l'inversion sont deux choses indépendantes l'une de l'autre.

On a aussi attaché une grande importance aux caractères sexuels dits secondaires ou tertiaires, et à leur fréquence chez les invertis (H. Ellis). Cela est souvent très vrai, mais il ne faut pas oublier que ces caractères secondaires et tertiaires se rencontrent assez fréquemment chez les individus du sexe opposé, et présentent des indices d'hermaphrodisme, sans qu'il y ait, chez ces mêmes individus, inversion dans l'objet sexuel.

La théorie de l'hermaphrodisme psychique serait plus claire si l'inversion était accompagnée d'une transformation des autres qualités de l'esprit, des pulsions et traits de caractère, en qualités caractéristiques de l'autre sexe. Mais cette inversion du caractère ne se retrouve fréquemment que chez la femme ; tandis que chez l'homme les caractères de la virilité sont compatibles avec l'inversion. Si l'on veut maintenir la théorie de l'hermaphrodisme psychique, tout au moins faut-il avoir soin d'ajouter qu'une corrélation régulière entre ces différentes manifestations ne peut être suffisamment établie. Il en est de même pour l'hermaphrodisme somatique d'après Halban[11]; l'atrophie des organes et le développement des caractères secondaires sont deux ordres de faits relativement indépendants.

La bisexualité dans la forme la plus rudimentaire a été définie par un apologiste des invertis mâles : un cerveau de femme dans un corps d'homme. Seulement, nous ne savons pas ce que c'est qu'un « cerveau de femme ». Vouloir transporter le problème du domaine psychologique au domaine anatomique est aussi oiseux qu'injustifié. L'explication tentée par Krafft-Ebing semble serrer le problème de plus près que ne le fait celle d'Ulrich, et cependant elle n'en diffère pas essentiellement. Krafft-Ebing affirme que la bisexualité des organes génitaux de l'individu correspond à un double centre cérébral, l'un mâle et l'autre femelle. Ces centres se développeraient au moment de la puberté, particulièrement sous l'influence des glandes génitales, dont ils sont, à l'origine du moins, indépendants. Mais on peut dire de ces « centres » cérébraux ce qui a été dit des cerveaux masculins et féminins ; et, de plus, nous ignorons s'il existe même des localisations cérébrales (« centres ») de la sexualité, analogues à celles que nous pouvons admettre pour le langage, par exemple.

Retenons, toutefois, deux idées pour notre explication de l'inversion : d'abord, il nous faut tenir compte d'une disposition bisexuelle ; mais nous ne savons pas quel en est le substratum anatomique. Nous voyons ensuite qu'il s'agit de troubles modifiant la pulsion sexuelle dans son développement [12].

OBJET SEXUEL DES INVERTIS. — La théorie de l'hermaphrodisme psychique suppose que l'objet sexuel des invertis est l'opposé de l'objet normal. L'inverti, tout comme la femme, est attiré par les qualités viriles du corps et de l'esprit masculins. Il se sent femme et recherche l'homme.

Mais bien que cela soit exact d'un grand nombre d'invertis, c'est loin de constituer un caractère général de l'inversion. Il est indiscutable que nombre d'invertis hommes ont conservé les caractères psychiques de leur sexe, et ne présentent que peu de caractères secondaires du sexe opposé, et au fond recherchent dans l'objet sexuel des caractères psychiques de féminité. S'il en était autrement, il serait incompréhensible que les prostitués mâles qui s'offrent aux invertis, aujourd'hui comme dans l'Antiquité, copient la femme en son extérieur et sa tenue. S'il en était autrement, cette imitation irait à l'encontre de l'idéal de l'inverti. Chez les Grecs, où les plus virils individus se trouvaient invertis, il est évident que ce n'était pas ce qu'il y avait de viril chez le jeune garçon qui excitait leur désir, mais bien les qualités féminines de leur corps, ainsi que celles de leur esprit, timidité, réserve, désir d'apprendre et besoin de protection. Aussitôt que le garçon était devenu homme, il cessait d'être un objet sexuel pour l'homme et recherchait à son tour l'adolescent. Dans ce cas, comme dans bien d'autres, l'inverti ne poursuit pas un objet appartenant au même sexe que lui, mais l'objet sexuel unissant en lui-même les deux sexes; c'est un compromis entre deux tendances, dont l'une se porterait vers l'homme et l'autre vers la femme, à la condition expresse, toutefois, que l'objet de la sexualité possédât les caractères anatomiques de l'homme (appareil génital masculin); [ce serait pour ainsi dire l'image même de la nature bisexuelle [13]] *(ajouté en 1915)*.

L'inversion chez la femme présente des caractères moins compliqués. Les invertis actifs ont souvent des caractères somatiques et psychiques masculins et recherchent la féminité dans leur objet sexuel bien que, là aussi, une connaissance plus précise des faits ferait connaître une plus grande variété.

BUT SEXUEL DES INVERTIS. — Ce qui est surtout à retenir, c'est que le but sexuel dans l'inversion est loin de présenter des caractères uniformes. Chez les hommes, le coït *per anum* n'est pas l'unique rapport des invertis. La masturbation est souvent le but exclusif, et des diminutions successives du but sexuel, jusqu'à ce qu'il n'y ait plus qu'une simple effusion sentimentale, sont plus fréquentes que dans l'amour hétérosexuel. De même, chez les femmes, les buts sexuels de l'inversion sont variés; parmi ces buts, le contact des muqueuses buccales est particulièrement recherché.

CONCLUSION. — S'il ne nous a pas été possible de trouver, dans les données que nous possédons, l'explication de l'inversion, pourtant nous avons pu arriver à des points de vue qui peuvent être pour nous plus importants que ne le serait la solution du problème posé. Nous sommes maintenant avertis de l'erreur que nous avions faite en établissant des liens trop intimes entre la pulsion sexuelle et l'objet sexuel. L'expérience nous apprend, dans les cas que nous considérons comme anormaux, qu'il existe entre la pulsion sexuelle et l'objet sexuel une soudure que nous risquons de ne pas apercevoir dans la vie sexuelle normale, où la pulsion semble déjà contenir par elle-même son objet. Cela nous engage à dissocier, jusqu'à un certain point, la pulsion et l'objet. Il est permis de croire que la pulsion sexuelle existe d'abord indépendamment de son objet, et que son apparition n'est pas déterminée par des excitations venant de l'objet.

## B. *Prépubères et animaux pris comme objets sexuels.*

Tandis que les invertis, choisissant leur objet sexuel hors du sexe qui, normalement, devrait les attirer, donnent l'impression d'être des individus qui, à part leur déviation, ne présentent aucune tare, au contraire les sujets qui prennent pour objet des prépubères (enfants) apparaissent dès l'abord comme des cas aberrants isolés. Il est rare que les enfants soient le seul objet sexuel ; d'ordinaire, ils ne jouent ce rôle que quand un individu, devenu lâche et impuissant, se résout à de tels expédients, ou quand la pulsion sexuelle, sous une forme des plus impérieuses, ne trouve pas pour se satisfaire un objet plus approprié. Toutefois, il est intéressant de constater que la pulsion sexuelle admet tant de variétés, et

qu'elle peut dégénérer quant à son objet à un degré
où la faim, beaucoup plus strictement attachée aux
objets qui lui sont propres, n'atteindrait que dans les
cas les plus extrêmes. Cela est encore vrai du coït
avec les animaux, qui n'est pas très rare parmi les
paysans et qui pourrait être caractérisé par le fait que
l'attraction sexuelle dépasse alors les limites fixées
par l'espèce.

Pour des raisons esthétiques, on voudrait pouvoir
rapporter à la maladie mentale de tels cas d'égarements graves de la pulsion sexuelle. Mais cela ne
paraît pas possible. L'expérience nous apprend que,
dans ces cas, les autres troubles de la pulsion
sexuelle ne sont pas différents de ce qu'ils sont chez
les normaux, et que ces perturbations se retrouvent
dans des races entières et certaines classes sociales.
Ainsi, le fait d'abuser des enfants se rencontre avec
une fréquence inquiétante chez les maîtres d'école et
les surveillants, amenés à cela par les facilités qui
leur sont offertes. Chez les aliénés, on rencontre les
mêmes égarements, mais à un degré supérieur, ou
bien, ce qui est alors tout à fait significatif, devenus
exclusifs et se substituant à la satisfaction sexuelle
normale.

Ces rapports curieux entre les différentes variations sexuelles, qui peuvent former une série allant
de l'état normal à la maladie mentale, sont en vérité
pleins d'enseignements. On pourrait en conclure que
les manifestations de la sexualité sont de celles qui,
même dans la vie normale, échappent le plus à
l'influence de l'activité psychique supérieure. Celui

qui, dans un domaine quelconque, est considéré comme anormal au point de vue social et moral, celui-là, d'après mon expérience, est toujours anormal dans sa vie sexuelle. Mais il existe beaucoup d'anormaux sexuels qui, à tous les autres égards, correspondent à la moyenne et possèdent l'acquis de notre civilisation — dont le point faible réside précisément dans la sexualité.

Mais ce qui me paraît d'une importance générale, c'est que, dans beaucoup de circonstances, et pour un nombre surprenant d'individus, le genre et la valeur de l'objet sexuel jouent un rôle secondaire. Il faut en conclure que ce n'est pas l'objet qui constitue l'élément essentiel et constant de la pulsion sexuelle [14].

## II. DÉVIATIONS SE RAPPORTANT
### AU BUT SEXUEL

Ce que l'on considère comme le but sexuel normal est l'union des parties génitales dans le coït, conduisant à la résolution de la tension sexuelle et, pour un temps, à l'extinction de la pulsion — satisfaction qui présente des analogies avec l'assouvissement de la faim. Cependant, on rencontre déjà, dans le processus sexuel le plus normal, des germes dont le développement mènera à des déviations que l'on décrit sous le nom de *perversions*. Il existe certains rapports intermédiaires précédant l'acte sexuel, tels que certains attouchements ou certaines excitations visuelles, et on considère ces degrés intermédiaires comme constituant des buts sexuels préliminaires. Ces actes préliminaires sont, d'une part, accompagnés de plaisir ; d'autre part, ils intensifient l'excitation qui doit se soutenir jusqu'à l'accomplissement de l'acte sexuel. Un de ces contacts, celui des muqueuses buccales — sous le nom ordinaire de baiser — a acquis dans de nombreux peuples, parmi lesquels les peuples civilisés, une haute valeur sexuelle, bien que les parties du corps intéressées n'appartiennent pas à l'appareil génital, mais forment l'entrée du tube digestif ; là aussi, il y a des faits qui permettent de rattacher des perversions à la vie normale et peuvent fournir des éléments de classification. Les perversions consistent en phénomènes de deux ordres : a) *des transgressions anatomiques* quant aux parties destinées à accomplir l'union sexuelle ; b) *des arrêts* à certains rapports intermédiaires qui, normalement, doivent être franchis rapidement pour atteindre le but sexuel final.

## A. *Transgressions anatomiques.*

Surestimation de l'objet sexuel. — La valeur qu'on attache à l'objet sexuel en tant qu'il est destiné à satisfaire la pulsion ne se limite pas d'ordinaire aux parties génitales, mais s'étend au corps entier de cet objet, et tend à s'emparer de toutes les sensations qui en émanent. La surestimation s'attache aussi au domaine psychique et se manifeste par un aveuglement, un manque de mesure dans l'appréciation des qualités psychiques et perfections de l'objet sexuel, une soumission facile aux jugements émis par lui. La crédulité provoquée par l'amour est une source importante, sinon la source originelle de l'autorité[15].

C'est cette surestimation sexuelle qui, s'accordant mal avec un but sexuel limité à l'appareil génital proprement dit, conduit à faire servir d'autres parties du corps à l'usage sexuel[16].

L'importance de la surestimation sexuelle peut être étudiée particulièrement bien chez l'homme, qui seul présente une vie érotique accessible aux recherches, tandis que la vie érotique de la femme, en raison d'une atrophie provenant de la civilisation, en partie aussi à cause de réserves conventionnelles et d'un certain manque de sincérité, est encore entourée d'un voile épais[17].

USAGE SEXUEL DES MUQUEUSES BUCCALES. — L'usage de la bouche comme organe sexuel est considéré comme perversion lorsque les lèvres (ou la langue) entrent en contact avec les parties génitales du partenaire ; mais non lorsque les muqueuses buccales de deux êtres se touchent. Cette exception que nous établissons en faveur du baiser est un chaînon vers l'acte normal. Lorsqu'on a horreur de telles pratiques en usage depuis les origines de l'humanité, et qu'on les considère comme des perversions, on cède à un *sentiment de dégoût* qui éloigne de pareils buts sexuels. Mais les limites assignées à ce sentiment de dégoût sont souvent conventionnelles. Celui qui baise avec ardeur les lèvres d'une jolie fille ne se servira qu'avec déplaisir de sa brosse à dents à elle, bien qu'il n'y ait pas lieu de croire que sa propre bouche, qui ne le dégoûte point, soit plus appétissante que celle de la jeune fille. Remarquons ici le rôle que joue le dégoût : il s'oppose à la surestimation libidinale de l'objet sexuel, mais il peut aussi être surmonté par elle. Le dégoût serait une des forces qui contribuent à limiter les buts sexuels. Généralement, les exclusions par le dégoût ne comprennent pas l'appareil génital. Cependant, il est hors de doute que les organes génitaux de l'autre sexe peuvent, comme tels, inspirer du dégoût, et que cette attitude est caractéristique de tous les hystériques, particulièrement les femmes. La force de la pulsion sexuelle se plaît à passer outre ce dégoût.

USAGE SEXUEL DE L'ORIFICE ANAL. — Nous voyons ici plus clairement encore que c'est le dégoût éprouvé pour l'usage de l'orifice anal comme but sexuel qui marque cet usage du sceau de la perversion. En émettant une telle opinion, je ne veux pas dire que l'argument motivant ce dégoût (cette partie du corps sert à la défécation, et est en contact avec des matières répugnantes en soi) ait la même valeur que les raisons avouées par les filles hystériques pour expliquer leur dégoût de l'appareil génital masculin (il sert à la miction).

Le rôle sexuel de la muqueuse anale n'est pas limité aux rapports entre hommes, et la prépondérance qu'elle acquiert n'est pas caractéristique de l'inversion. Il semble, au contraire, que la pédication de l'homme doive son rôle aux analogies qu'elle présente avec l'acte accompli sur la femme, tandis que la masturbation mutuelle représente le but sexuel recherché de préférence par les invertis.

IMPORTANCE SEXUELLE DES AUTRES PARTIES DU CORPS. — L'extension de la sexualité à d'autres parties du corps n'offre rien d'essentiellement nouveau dans ses différentes variations, et n'apporte rien à la connaissance de la pulsion sexuelle, laquelle ne fait qu'affirmer sa volonté de s'emparer complètement de l'objet sexuel. Mais, en dehors de la surestimation sexuelle, nous constatons, dans les cas de transgression anatomique, un nouvel élément assez ignoré des non-initiés. Certaines parties du corps, telles que les muqueuses buccales et anales — dont on doit constater l'importance par toutes ces pratiques — en viennent à être considérées comme organes génitaux et à être traitées comme telles. Nous verrons que cette tendance est justifiée par le développement de la pulsion sexuelle et que, dans la symptomatologie de certains états morbides, elle trouve sa réalisation.

SUBSTITUTS IMPROPRES DE L'OBJET SEXUEL ; FÉTICHISME. — Particulièrement intéressants sont les cas dans lesquels l'objet sexuel normal est remplacé par un autre en rapport avec lui et qui n'est nullement approprié au but sexuel normal. Il eût été préférable, pour plus de clarté dans la division, d'étudier ce groupe fort intéressant de déviations en même temps que celles de l'objet sexuel. Mais nous en avons reculé l'étude jusqu'après avoir considéré la *surestimation sexuelle,* de laquelle dépendent ces phénomènes qui conduisent à renoncer au but sexuel.

Le substitut de l'objet sexuel est généralement une partie du corps peu appropriée à un but sexuel (les cheveux, les pieds) ou un objet inanimé qui touche de près l'objet aimé et, de préférence, son sexe (des parties de ses vêtements, son linge). Ces substituts peuvent, en vérité, être comparés au fétiche dans lequel le sauvage incarne son dieu.

La transition aux formes de fétichisme confirmé — renonciation au but sexuel normal ou pervers — est fournie par des cas où, pour atteindre le but, on exige de l'objet sexuel des caractères fétichistes (une certaine couleur de cheveux, certains vêtements, ou même certaines imperfections physiques). Aucune variation sexuelle à la limite de la pathologie ne présente autant d'intérêt que celle-ci, en vertu des phénomènes étranges qu'elle produit. Elle suppose un certain fléchissement de la tendance vers le but sexuel normal (déficience fonctionnelle de l'appareil génital)[18]. La transition vers la sexualité normale est dans la surestimation de l'objet sexuel, qui semble une nécessité psychologique et qui s'empare de tout ce qui est associé à l'objet. C'est pourquoi un certain degré de fétichisme se retrouve régulièrement dans l'amour normal, surtout pendant la période amoureuse où le but sexuel ne paraît pas pouvoir être atteint, ou ne peut être satisfait.

> « *Apporte-moi un fichu, qui ait couvert son sein,*
> « *La jarretière de ma bien-aimée !* »
>
> FAUST.

On touche au cas pathologique à partir du moment où le besoin du fétiche prend une forme de fixité et se substitue au but normal, ou encore lorsque le fétiche se détache d'une personne déterminée et devient à lui seul l'objet de la sexualité. Ce sont là les conditions générales dans lesquelles se fait le passage de simples variations de la pulsion sexuelle à des aberrations pathologiques.

Dans le choix du fétiche, ainsi que Binet l'a vu le premier, et comme de nombreux exemples l'ont confirmé depuis, se manifeste l'influence persistante d'une impression sexuelle ressentie, dans la plupart des cas, au cours de l'enfance. Cela fait penser à la ténacité proverbiale du premier amour chez les normaux *(on revient toujours à ses premières amours)*. Cette origine est surtout manifeste dans les cas où l'objet sexuel est de nature purement fétichiste. Quant à l'importance des impressions sexuelles ressenties pendant l'enfance, nous en reparlerons plus loin [19].

Dans d'autres cas, c'est une association d'idées de caractère symbolique, ordinairement inconsciente, qui amène la substitution du fétiche à l'objet. Il n'est pas toujours possible de retrouver la voie suivie de ces sortes d'associations (le pied est un symbole sexuel très ancien et se trouve déjà dans la mythologie [20] ; la fourrure doit son intérêt de fétiche, selon toutes probabilités, à une analogie avec les poils du *mons Veneris*). Pourtant, il semble que cette forme de symbolisme ne soit pas toujours, elle non plus, indépendante d'impressions sexuelles reçues pendant l'enfance [21].

## B. *Fixations de buts sexuels préliminaires.*

Formation de nouveaux buts sexuels. — Toutes les conditions, soit extérieures, soit intérieures, qui semblent éloigner ou entraver la réalisation du but sexuel normal (impuissance, cherté de l'objet sexuel, dangers attribués à l'acte normal) favorisent naturellement la tendance à demeurer aux actes préparatoires et à en faire de nouveaux buts qui peuvent se substituer aux buts normaux. Une étude plus approfondie montre que ces nouveaux buts — quelque étranges qu'ils paraissent — sont déjà indiqués dans le processus sexuel normal.

Toucher et regarder l'objet sexuel. — L'attouchement est, jusqu'à un certain degré (tout au moins pour l'être humain), nécessaire à la réalisation du but sexuel normal. Les sensations produites par le contact avec l'épiderme de l'objet sexuel éveillent, comme on le sait, le plaisir et accroissent l'excitation. Aussi, le fait d'en demeurer pour un temps aux attouchements ne peut pas être compté parmi les perversions, pourvu, toutefois, que l'acte sexuel se poursuive.

Il en est de même des impressions visuelles, qui, en dernière analyse, peuvent être ramenées aux impressions tactiles. C'est l'impression visuelle qui éveille le plus souvent la libido et c'est de ce moyen que se sert la sélection naturelle — [s'il est permis de faire usage de notions téléologiques] *ajouté en 1915* — pour développer dans l'objet sexuel des qualités de beauté. La coutume de cacher le corps, qui se développe avec la civilisation, tient la curiosité sexuelle en éveil, et amène l'individu à vouloir compléter l'objet sexuel, en dévoilant ses parties cachées. De même, en un autre sens, la curiosité peut se transformer dans le sens de l'art (« sublimation »), lorsque l'intérêt n'est plus uniquement concentré sur les parties génitales, mais s'étend à l'ensemble du corps [22].

Dans une certaine mesure, la plupart des normaux s'arrêtent au but intermédiaire que représente le regard à signification sexuelle, et c'est même ce qui leur permet de détourner une certaine part de la libido vers des buts artistiques plus élevés. Par contre, ce plaisir de voir devient une perversion : *a)* quand il se limite exclusivement aux parties génitales ; *b)* quand il ne connaît pas le dégoût (voyeur des fonctions de défécation) ; *c)* quand, au lieu de préparer l'acte normal, il en détourne. C'est ce qui se rencontre (si je puis tirer une conclusion de plusieurs cas observés) chez les exhibitionnistes qui montrent leurs parties génitales pour qu'on leur en montre autant [23].

Ces perversions où le but est de voir et d'être vu mettent en évidence un fait fort intéressant, sur lequel nous reviendrons avec plus de détails en traitant d'une autre perversion ; à savoir que, dans ces cas, le but sexuel se manifeste sous une double forme : *active* et *passive*.

C'est la *pudeur* (comme précédemment le dégoût) qui constitue la force opposée à ces perversions ; mais dans certaines occasions, elle se montre impuissante.

SADISME ET MASOCHISME. — Le désir de faire souffrir l'objet sexuel — ou la tendance opposée — est la forme de perversion la plus fréquente et la plus importante de toutes ; elle a été nommée par Krafft-Ebing *sadisme* ou *masochisme,* selon qu'elle est active ou passive.

D'autres auteurs préfèrent le terme plus restreint d'*algolagnie,* terme qui met en relief le plaisir procuré par la douleur, la cruauté, tandis que le terme employé par Krafft-Ebing marque avant tout le plaisir procuré par toute forme d'humiliation et de soumission.

En ce qui concerne l'algolagnie active, c'est-à-dire le sadisme, il est aisé d'en retrouver les origines dans la vie normale. La sexualité de la plupart des hommes contient des éléments d'*agression,* soit une tendance à vouloir maîtriser l'objet sexuel, tendance que la biologie pourrait expliquer par la nécessité pour l'homme d'employer, s'il veut vaincre la résistance de l'objet, d'autres moyens que la *séduction.* Le sadisme ne serait pas autre chose qu'un développement excessif de la composante agressive de la pulsion sexuelle qui serait devenue indépendante et qui aurait conquis le rôle principal.

[Le terme de sadisme, dans le langage courant, n'a pas un sens très défini ; il comprend aussi bien les cas caractérisés par le besoin de se montrer violent, ou même simplement d'être partie active, jusqu'aux cas pathologiques dans lesquels la satisfaction est conditionnée par l'assujettissement de l'objet sexuel et les mauvais traitements qui lui sont appliqués. Au sens strict du mot, ces derniers cas seuls peuvent être considérés comme perversion.

De même, le masochisme comprend tous les degrés possibles d'une attitude passive en face de la vie sexuelle et de son objet ; le point culminant sera atteint lorsque la satisfaction dépend nécessairement d'une souffrance physique ou psychique éprouvée de la part de l'objet sexuel. Le masochisme, en tant que perversion, paraît plus éloigné du but sexuel normal que le sadisme. On peut se demander s'il est jamais un phénomène primaire, et s'il ne résulte pas toujours d'une transformation du sadisme[24]. On constate souvent que le masochisme n'est pas autre chose qu'une continuation du sadisme, qui se retourne contre le sujet, lequel prend pour ainsi dire la place de son objet sexuel. L'analyse clinique des cas graves de perversion masochiste nous amène à penser que c'est là le résultat complexe d'une série de facteurs qui exagèrent et fixent une attitude de passivité sexuelle originelle (complexe de castration ; sentiment de culpabilité)] *(modifié en 1915)*.

La douleur qu'on surmonte dans ces cas est analogue au dégoût ou à la pudeur qui, dans les cas précédemment examinés, s'opposaient à la libido.

[Le sadisme et le masochisme occupent, parmi les autres perversions, une place spéciale. L'activité et la passivité qui en forment les caractères fondamentaux et opposés sont constitutifs de la vie sexuelle en général] *(ajouté en 1915)*.

L'histoire de la civilisation nous apprend que la

cruauté et la pulsion sexuelle sont intimement unies. Mais, pour éclairer ce rapport, on s'est jusqu'ici contenté de mettre en valeur l'élément agressif de la libido. Certains auteurs vont jusqu'à prétendre que l'élément agressif constaté dans la pulsion sexuelle n'est qu'un résidu d'appétits cannibales, ce qui reviendrait à dire que les moyens de domination qui servent à satisfaire l'autre grand besoin, antérieur selon l'ontogénèse, jouent ici un rôle [25]. On a aussi prétendu que toute souffrance contient en soi une possibilité de plaisir. Nous nous bornerons à dire qu'une telle interprétation ne saurait nous satisfaire, et qu'il se peut que plusieurs tendances psychiques s'unissent pour contribuer à la perversion résultante [26].

Ce qui caractérise avant tout cette perversion, c'est que sa forme active et sa forme passive se rencontrent chez le même individu. Celui qui, dans les rapports sexuels, prend plaisir à infliger une douleur, est capable aussi de jouir de la douleur qu'il peut ressentir. Un sadique est toujours en même temps un masochiste, ce qui n'empêche pas que le côté actif ou le côté passif de la perversion puisse prédominer et caractériser l'activité sexuelle qui prévaut [27].

Nous constatons ainsi que certaines tendances forment régulièrement des *couples d'éléments antagonistes* ; ce qui nous paraît être d'une grande importance au point de vue théorique, comme le prouveront d'autres cas que nous analyserons plus tard [28]. De plus, il est clair que l'opposition : sadisme-masochisme ne peut être expliquée par le seul élément d'agression. Au contraire, on serait tenté de rapporter cette union d'éléments antagonistes à la bisexualité unissant les caractères masculin et féminin, que [la psychanalyse remplace fréquemment par l'opposition actif-passif] *(modifié en 1924)*.

### III. GÉNÉRALITÉS
### SUR LES PERVERSIONS

VARIATION ET MALADIE. — Les médecins qui, les premiers, étudièrent les perversions dans certains cas confirmés, et dans des conditions particulières, ont été amenés tout naturellement à les considérer comme des symptômes de maladie ou de dégénérescence, ainsi que cela s'était produit avec l'inversion. Toutefois, il est plus facile encore de démontrer la faiblesse de ce point de vue dans les cas de perversion. L'expérience nous a montré que la plupart de ces déviations, au moins quand il s'agit des cas les moins graves, sont rarement absentes dans la vie sexuelle des sujets normaux, qui les regardent simplement comme des particularités de leur vie intime. Là où les circonstances sont favorables, il pourra arriver qu'un être normal, pendant tout un temps, substitue telle ou telle perversion au but sexuel normal, ou lui fasse place à côté de celui-ci. On peut dire que, chez aucun individu normal, ne manque un élément qu'on peut désigner comme pervers, s'ajoutant au but sexuel normal ; et ce fait seul devrait suffire à nous montrer combien il est peu justifié d'attacher au terme de perversion un caractère de blâme. C'est précisément dans le domaine sexuel que l'on rencontre des difficultés toutes particulières et qui paraissent insolubles, dès le moment où l'on établit des démarcations nettes entre les simples variations, restant dans le domaine de la physiologie normale, et les symptômes de la maladie.

Toutefois, la qualité du nouveau but sexuel, dans certaines perversions, requiert une étude particulière. Certaines perversions sont, en effet, si éloignées de la normale, que nous ne pouvons faire autre chose que les déclarer « pathologiques ». Particulièrement celles où l'on voit la pulsion sexuelle surmonter certaines résistances (pudeur, dégoût, horreur, douleur), et accomplir des actes extraordinaires (lécher des excréments, violer des cadavres). Cependant, il serait erroné de croire que, même chez ces sujets, on retrouve régulièrement des anomalies graves d'une autre espèce, ou des symptômes de maladies mentales. On ne saurait manquer de constater une fois de plus que des sujets normaux à tout autre égard peuvent rentrer dans la catégorie des malades au point de vue sexuel, sous la domination de la plus impérieuse des pulsions. Mais, au contraire, les anomalies que l'on peut apercevoir dans les autres activités apparaissent toujours sur un fond de déviation sexuelle.

Dans la plupart des cas, le caractère pathologique ne se découvre pas dans le contenu du nouveau but sexuel, mais dans les rapports de celui-ci avec la

sexualité normale. Quand la perversion ne se manifeste pas *à côté* de la vie sexuelle normale (but et
objet), dans la mesure où les conditions sont favorables à l'une, et défavorables à l'autre, mais qu'elle
écarte en toutes occasions la vie normale et la
remplace, c'est seulement dans ce cas, où il y a
*exclusivité et fixation,* que nous sommes justifiés en
général à considérer la perversion comme un sym-
tôme morbide.

LE FACTEUR PSYCHIQUE DANS LES PERVERSIONS. — Ce
sont peut-être les perversions les plus répugnantes
qui accusent le mieux la participation psychique dans
la transformation de la pulsion sexuelle. Quelque
horrible que soit le résultat, on y retrouve une part
d'activité psychique qui correspond à une idéalisation
de la pulsion sexuelle. La toute-puissance de l'amour
ne se manifeste jamais plus fortement que dans ces
égarements. Ce qu'il y a de plus élevé et ce qu'il y a
de plus bas, dans la sexualité, montrent partout les
plus intimes rapports. *(Du ciel — à travers le monde
— jusqu'à l'enfer.)*

DEUX CONCLUSIONS. — En étudiant les perversions,
nous avons donc vu que la pulsion sexuelle doit lutter
contre certaines résistances d'ordre psychique, parmi
lesquelles la pudeur et le dégoût sont les plus
évidentes. Nous pouvons supposer que ce sont là des
forces destinées à maintenir la pulsion sexuelle dans
les limites de ce que l'on désigne comme normal ; si
elles se sont développées avant que la pulsion
sexuelle ait acquis toute sa vigueur, ce sont probablement elles qui tracent la voie de son développement [29].

Nous avons observé ensuite qu'un certain nombre de perversions étudiées jusqu'ici ne peuvent être comparées qu'en supposant l'action connexe de plusieurs facteurs. Si elles admettent l'analyse, elles sont de nature complexe. Cela nous donnerait à penser que la pulsion sexuelle en elle-même n'est pas une donnée simple, mais qu'elle est formée de diverses composantes, lesquelles se dissocient dans les cas de perversions. L'observation clinique fait ainsi connaître des *fusions*, qui, dans le cours uniforme de la vie normale, ne se réalisent pas.[30]

### IV. LA PULSION SEXUELLE CHEZ LES NÉVROSÉS

LA PSYCHANALYSE. — Nous pouvons arriver à une plus grande connaissance de la pulsion sexuelle chez certains sujets assez proches de la normale, en les étudiant à l'aide d'une méthode particulière. Il n'y a qu'un moyen d'arriver à des conclusions utiles sur la pulsion sexuelle dans les psychonévroses (hystérie, névrose obsessionnelle, soi-disant neurasthénie, [certainement aussi démence précoce et paranoïa]) *(modifié en 1915)*, c'est de les soumettre aux investigations psychanalytiques, selon la méthode pratiquée pour la première fois par Breuer et moi-même en 1893, et que nous nommions alors traitement « cathartique ».

Nous dirons d'abord, répétant ce que nous avons publié d'autre part, que ces psychonévroses, pour

autant que j'ai pu le constater, doivent être rapportées à la force des pulsions sexuelles. Ce disant, je
n'entends pas seulement que l'énergie de la pulsion
sexuelle constitue une partie des forces qui soutien-
nent les manifestations pathologiques, mais bien que
cet apport est la source d'énergie la plus importante
de la névrose et la seule qui soit constante. De sorte
que la vie sexuelle des malades se manifeste exclusivement, ou en grande partie, ou partiellement, par
ces symptômes. Ceux-ci ne sont, comme je l'ai déjà
dit ailleurs, que l'activité sexuelle du malade. La
preuve de ce que j'avance m'est fournie par des
observations psychanalytiques datant de vingt-cinq
ans, faites sur des hystériques et autres névrosés,
dont les résultats sont consignés en d'autres écrits ou
doivent être ultérieurement publiés [31].

La psychanalyse peut faire disparaître les symptômes de l'hystérie s'ils sont le substitut, pour ainsi dire
la transposition, d'une série de processus psychiques,
de désirs et de tendances, qui, par un certain acte *(le
refoulement)* n'ont pu arriver à leur terme en une
activité qui s'intégrerait dans la vie consciente. Ces
formations mentales, retenues dans l'inconscient,
tendent à trouver une expression qui correspondrait à
leur valeur affective, une *décharge.* C'est ce qui se
passe chez l'hystérique, sous la forme de *conversion*
en phénomènes somatiques qui ne sont autres que les
symptômes de l'hystérie. Avec l'aide d'une technique
précise, permettant de ramener ces symptômes à des
représentations affectivement investies qui, dès lors,
deviennent conscientes, on peut arriver à comprendre

la nature et l'origine de ces formations mentales, qui, jusque-là, étaient restées inconscientes.

RÉSULTATS DE LA PSYCHANALYSE. — Ainsi, on a pu établir, par l'expérience, que ces symptômes sont le substitut de tendances qui puisent leur force dans la pulsion sexuelle elle-même. Cette notion s'accorde bien avec ce que nous savions des prédispositions de l'hystérie, que nous prenons pour type de toutes les psychonévroses, et des causes qui l'ont provoquée. L'hystérique souffre d'un *refoulement sexuel,* qui dépasse la mesure normale, d'une intensification du développement des forces qui s'opposent à la pulsion sexuelle (pudeur, dégoût, conceptions morales). Il refuse instinctivement de se préoccuper du problème sexuel, ce qui, dans des cas typiques, a pour résultat une ignorance complète, se prolongeant bien au-delà de la puberté [32].

Les traits essentiels de l'hystérie sont — pour un observateur superficiel — masqués par la présence fréquente d'un second facteur constitutif de la maladie, à savoir le développement excessif de la pulsion sexuelle. Mais l'analyse psychique découvre le refoulement dans tous les cas et parvient ainsi à éclaircir ce qu'il y a de contradictoire et d'énigmatique dans l'hystérie, en retrouvant cette dualité d'opposition : besoin sexuel excessif et aversion sexuelle exagérée.

Un individu prédisposé à l'hystérie devient hystérique quand, à la suite de la puberté ou par l'effort de circonstances extérieures, ses exigences sexuelles se font sentir d'une manière pressante. Entre la poussée de la pulsion et la résistance opposée par l'aversion sexuelle, se présente la maladie comme une solution qui n'en est pourtant pas une, puisqu'elle ne résout pas le conflit, mais cherche à l'esquiver par la transformation des tendances sexuelles en symptômes morbides. Le cas d'un hystérique — un homme par exemple — devenant malade à la suite d'une émotion banale, d'un conflit non provoqué par l'intérêt sexuel, ne constitue qu'une exception apparente. La psychanalyse peut prouver que c'est l'élément sexuel du conflit qui a provoqué la maladie, en ne permettant pas au processus psychique d'arriver à son terme normal.

Névrose et perversion. — Que les conceptions développées ici aient rencontré des adversaires, cela s'explique en grande partie par le fait d'une confusion entre la pulsion sexuelle normale et la forme de sexualité que j'ai retrouvée à l'origine des symptômes psychonévrotiques. Mais les enseignements de la psychanalyse vont plus loin encore ; elle nous apprend que les symptômes morbides ne se développent pas aux dépens de la pulsion sexuelle normale (au moins pas exclusivement ou d'une façon prépondérante), mais représentent une conversion de pulsions sexuelles qui devraient être nommées *perverses* (au sens large du mot) si elles pouvaient, sans être écartées de la conscience, trouver une expression dans des actes imaginaires ou réels. Les symptômes se forment donc en partie aux dépens de la sexualité anormale ; *la névrose est pour ainsi dire le négatif de la perversion* [33].

La pulsion sexuelle des névrosés connaît toutes les

déviations que nous avons étudiées comme variations d'une vie sexuelle normale et manifestations d'une vie sexuelle morbide.

*a)* Chez tous les névrosés (sans exception), on constate dans l'inconscient des velléités d'inversion, des tendances à fixer la libido sur une personne de leur sexe. Sans un examen approfondi, il est impossible de comprendre l'importance que prendra ce facteur dans la formation de la névrose. Tout ce que je puis dire ici, c'est qu'une tendance inconsciente à l'inversion n'est jamais absente, et donne souvent la clef de bien des cas d'hystérie, particulièrement chez l'homme [34].

*b)* On trouve dans l'inconscient, dans le cas de psychonévroses, une tendance aux transgressions anatomiques, qui se traduit en symptômes morbides ; et parmi ces transgressions, avec une intensité particulière, celle qui donne aux muqueuses anale et buccale une valeur de zone génitale.

*c)* Parmi les causes des symptômes des psychonévroses, il faut attribuer un rôle important aux pulsions partielles qui forment d'ordinaire des couples antagonistes, et que nous connaissons déjà comme pouvant constituer de nouveaux buts : telles la pulsion de voir et de montrer chez les voyeurs et chez les exhibitionnistes, la pulsion de cruauté dans ses formes active et passive. On ne peut comprendre ce qu'il entre de souffrance dans les symptômes morbides si on ne tient pas compte de la pulsion de cruauté ; celle-ci, presque toujours, détermine une partie de l'attitude sociale du malade. C'est cet élément de cruauté dans la libido qui est cause de cette transformation de haine en amour, d'émotions tendres en mouvements hostiles, qui se retrouve dans la symptomatologie d'un grand nombre de névroses, et forme, presque en son entier, la symptomatologie de la paranoïa.

L'intérêt de ces résultats est encore augmenté si nous envisageons certains aspects de la question.

*a)* Quand il existe dans l'inconscient une pulsion partielle liée à la pulsion partielle contraire, cette dernière, elle aussi, est toujours agissante. Toute perversion active s'accompagnera donc de la perversion passive ; celui qui, dans son inconscient, est exhibitionniste, sera en même temps un voyeur ; celui qui souffre des suites d'un refoulement de tendances sadiques montrera une disposition à des symptômes morbides dérivant de tendances masochistes. La présence simultanée des couples antagonistes dans les névroses et leur parallélisme avec les perversions « positives » correspondantes est certainement un fait fort intéressant. Toutefois, dans le tableau clinique de la maladie, l'une ou l'autre des tendances opposées prévaudra.

*b)* Dans les cas les plus marqués de psychonévroses, on trouve rarement une seule de ces pulsions perverses, mais plusieurs, le plus souvent, et généralement des traces de toutes. Cependant l'intensité de chaque pulsion est indépendante du degré de développement des autres. Et, pour cette raison encore, l'étude des perversions positives nous donne exactement la contrepartie des névroses.

## V. PULSIONS PARTIELLES ET ZONES ÉROGÈNES

Si nous résumons les résultats de nos recherches sur les perversions positives et négatives, il nous paraît évident qu'on peut les rattacher à un groupe de pulsions partielles, mais qui ne sont pas primaires et peuvent être décomposées par l'analyse. Par « pulsion », nous désignons le représentant psychique d'une source continue d'excitation provenant de l'intérieur de l'organisme, que nous différencions de l' « excitation » extérieure et discontinue. La pulsion est donc à la limite des domaines psychique et physique. La conception la plus simple, et qui paraît s'imposer d'abord, serait que les pulsions ne possèdent aucune qualité par elles-mêmes, mais qu'elles existent seulement comme quantité susceptible de produire un certain travail dans la vie psychique. Ce qui distingue les pulsions les unes des autres, et les marque d'un caractère spécifique, ce sont les rapports qui existent entre elles et leurs *sources* somatiques d'une part, et leur *but* d'autre part. La source de la pulsion se trouve dans l'excitation d'un organe, et son but prochain est l'apaisement d'une telle excitation organique *(modifié en 1915)*[35].

Une autre notion provisoire, tirée de l'étude des pulsions, et que nous ne saurions négliger, c'est que les excitations somatiques sont de deux ordres, qui se différencient selon leur nature chimique. Nous désignerons l'une de ces excitations comme spécifiquement sexuelle, et l'organe correspondant comme la « *zone érogène* » d'où provient la pulsion sexuelle partielle [36].

Lorsque la tendance perverse se porte vers la cavité buccale et l'orifice anal, le rôle de la zone érogène est évident. Celle-ci se comporte à tous égards comme une partie de l'appareil sexuel. Dans le cas d'hystérie, ces parties du corps et les muqueuses correspondantes deviennent le siège de nouvelles sensations, de modifications des innervations — [on peut même dire de processus comparables à celui de l'érection] *(ajouté en 1920)* — de telle manière qu'elles fonctionnent comme les parties génitales proprement dites quand elles sont excitées normalement.

L'importance des zones érogènes comme appareil génital secondaire, usurpant les fonctions de l'appareil génital même, est plus particulièrement frappante dans l'hystérie que dans toutes les autres psychonévroses ; ce qui ne veut pas dire, cependant, que le rôle de ces zones soit négligeable dans la généralité des cas pathologiques, où il est seulement plus difficile à discerner, parce que la symptomatologie de ces cas (névrose obsessionnelle, paranoïa) relève des parties de l'appareil psychique qui sont les plus éloignées des centres régissant les fonctions corporelles. Dans les névroses obsessionnelles, on est surtout frappé par l'importance des mouvements qui mènent à la création de nouveaux buts sexuels, et qui paraissent indépendants des zones érogènes. Toutefois, dans les cas de voyeurisme, c'est l'organe visuel qui joue le rôle de zone érogène, tandis que, quand la douleur et la cruauté entrent en jeu, c'est l'épiderme qui fonctionne comme zone érogène ; l'épiderme qui, dans certaines parties du corps, se différencie en organes sensoriels et se transforme en muqueuse ; il est donc zone érogène κατ'ἐξοχήν (par excellence) [37].

### VI. EXPLICATION
### DE L'APPARENTE PRÉDOMINANCE
### DE LA SEXUALITÉ PERVERSE
### DANS LES PSYCHONÉVROSES

Ce qui précède peut avoir jeté un faux jour sur la sexualité des psychonévroses. On a pu croire que le névrosé, dans son comportement sexuel, se rapproche du pervers et s'éloigne d'autant de l'être normal. Bien qu'on puisse parfaitement admettre que la disposition constitutionnelle de ces malades contient, en plus de refoulements sexuels considérables et de besoins sexuels non moins considérables, une tendance toute particulière à la perversion, dans le sens le plus large du mot cependant, l'étude des cas moins graves montre que cette dernière hypothèse n'est pas toujours nécessaire ou du moins que, pour apprécier les effets morbides, il faut prendre en considération un facteur qui agit en sens opposé. Chez la plupart des névrosés, l'état pathologique ne fait son apparition qu'après la puberté, au moment des exigences d'une vie sexuelle normale. (C'est à celle-ci avant tout que s'oppose le refoulement.) Ou bien la maladie apparaît plus tard, lorsque la libido n'a pu trouver son apaisement normal. Dans les deux cas, la libido est arrêtée dans son cours, comme un fleuve est détourné de son lit principal, et elle se dirige vers des voies collatérales qui, jusque-là, étaient restées sans emploi. C'est ainsi que la tendance à la perversion, apparemment si marquée (bien que de façon négative) chez les névrosés, pourrait se former par voies collatérales, ou du moins être renforcée de cette manière. Au refoulement sexuel, comme facteur interne, s'ajoutent des facteurs extérieurs, tels que la limitation dans la liberté, l'impossibilité d'atteindre un objet sexuel normal, la perception des dangers attachés à l'acte sexuel, etc., qui déterminent ainsi des perversions chez des individus qui, sans cela, seraient peut-être restés normaux.

Il peut y avoir diversité à cet égard, dans les différents cas de névroses. Parfois, ce sera le niveau initial de la disposition perverse qui caractérisera la névrose, et parfois ce sera le niveau atteint par suite d'une dérivation collatérale de la libido. On aurait tort de voir opposition là où il y a action connexe. La névrose atteint son maximum lorsque la constitution et l'histoire personnelle agissent dans le même sens. Une constitution suffisamment déterminée vers la névrose peut se passer de l'appui que lui fourniraient les expériences vécues ; d'autre part, une profonde perturbation de la vie peut incliner vers la névrose un être de constitution moyenne. Ceci est d'ailleurs également vrai pour la valeur étiologique de l'élément congénital et de l'élément acquis, dans d'autres domaines.

Si l'on aime mieux supposer qu'une tendance particulière aux perversions forme une des caractéristiques de la constitution psychonévrotique, on sera amené à envisager la possibilité d'une variété de constitutions de ce genre, selon que prévaut telle zone érogène, ou prédomine telle pulsion partielle. On ne peut dire s'il existe un rapport particulier entre telle disposition perverse et telle forme morbide donnée. Ce point n'a pas été étudié encore, comme beaucoup d'autres en ce domaine.

## VII. PREMIÈRES REMARQUES SUR LE CARACTÈRE INFANTILE DE LA SEXUALITÉ

Le nombre de ceux que l'on peut appeler pervers se trouve considérablement accru, du fait que nous pouvons constater dans la symptomatologie des psychonévroses la présence de tendances perverses. Non seulement les névrosés représentent une catégorie nombreuse d'individus, mais encore les névroses forment dans leurs diverses manifestations une chaîne ininterrompue qui va de la maladie à la santé. Moebius a raison de dire : nous sommes tous un peu hystériques. Ainsi sommes-nous amenés, devant cette fréquence de la perversion, à admettre que la disposition à la perversion n'est pas quelque chose de rare et d'exceptionnel, mais est partie intégrante de la constitution normale.

On a pu discuter sur le point de savoir si la perversion était congénitale ou si, comme Binet l'admet pour le fétichisme, elle devait son origine à des expériences vécues. Nous sommes maintenant autorisés à dire que, dans toutes les perversions, il y a en effet un facteur congénital, mais que ce facteur *se retrouve chez tous les hommes*, qu'il peut en tant que disposition varier dans son intensité, et que pour se manifester il a besoin d'impressions venues de l'extérieur. Il s'agit ici de dispositions innées, inhérentes à la constitution, qui, dans une série de cas, deviennent des facteurs déterminants de la sexualité (chez les pervers) et qui, dans d'autres cas, n'ayant été réprimées qu'imparfaitement (refoulement), peuvent, en devenant symptômes morbides, s'emparer par une voie détournée d'une partie considérable de l'énergie sexuelle, tandis que dans les cas heureux, entre les deux extrêmes, s'établira, par une limitation effective et à la suite d'autres modifications que les dispositions subissent, ce que nous appelons une vie sexuelle normale.

Nous ajouterons que la constitution hypothétique contenant en germe toutes les perversions ne peut être retrouvée que chez l'enfant, bien que l'enfant présente ces pulsions avec une faible intensité. Si nous sommes ainsi amenés à penser que les névrosés sont restés à l'état infantile de la sexualité, ou sont retombés en cet état, il semble que notre intérêt doive se porter sur la vie sexuelle de l'enfant. Nous essaierons de démêler le réseau des influences qui déterminent l'évolution de la sexualité infantile jusqu'à son aboutissement, soit à la perversion, soit à la névrose, soit enfin à la vie sexuelle normale.

II

*La sexualité infantile*

Omission de l'enfant dans l'étude de la sexualité.
— Il est généralement admis que la pulsion sexuelle
fait défaut à l'enfance et ne s'éveille que dans la
période de la puberté. C'est là une erreur lourde de
conséquences, puisque nous lui devons l'ignorance
où nous sommes des conditions fondamentales de la
vie sexuelle. Si nous approfondissions les manifestations sexuelles de l'enfant, nous découvririons les
traits essentiels de la pulsion sexuelle ; nous com-
prendrions l'évolution de cette pulsion et nous ver-
rions comment elle puise à des sources diverses.

Il est à remarquer que les auteurs qui s'appliquè-
rent à l'étude des particularités et des réactions de
l'adulte ont attaché une importance considérable à
cette préhistoire : les antécédents héréditaires, tandis
qu'ils négligeaient cette autre préhistoire qu'on
retrouve dans l'existence de chacun, l'enfance. Pourtant, il semble que les influences de cette époque de
la vie devraient être plus faciles à constater, et qu'il
faudrait les faire prévaloir sur les antécédents héréditaires[38]. On trouve, il est vrai, dans la littérature,

quelques observations relatives à des actes de sexualité prématurée chez les petits enfants, érections,
masturbations, et même simulacres de coït — mais
toujours cités comme cas exceptionnels, extraordinaires, des exemples repoussants de dépravation précoce. Aucun auteur, à ma connaissance, n'a aperçu
que la pulsion sexuelle chez l'enfant apparaissait
régulièrement ; et dans les ouvrages sur le développement de l'enfant, devenus fort nombreux ces derniers
temps, on ne trouve pas de chapitre traitant du
développement sexuel infantile [39].

AMNÉSIE INFANTILE. — On trouve la raison de cette
étonnante lacune, en partie dans les réserves conventionnelles que les auteurs, du fait de leur éducation,
observent, et en partie dans un phénomène d'ordre
psychique qui jusqu'ici a échappé à toute explication. Je fais ici allusion à ce curieux phénomène
d'*amnésie* qui, pour la plupart des individus, sinon
pour tous, couvre d'un voile épais les six ou huit
premières années de leur vie. Jusqu'à présent, nous
avons accepté cette amnésie comme un fait naturel
sans nous en étonner, alors qu'il y avait lieu de le
faire. En effet, pendant ces années qui n'ont laissé
dans notre mémoire que certains fragments de souvenirs incompréhensibles, nous aurions, d'après ce que
l'on nous a dit, réagi avec vivacité aux impressions du
monde extérieur, manifesté notre joie et notre douleur, comme les autres hommes, montré de l'amour,
de la jalousie et d'autres passions qui nous agitaient
alors vivement ; on rapporte même certains de nos
propos, que les grandes personnes ont retenus comme

preuves de notre intelligence et de notre discernement. Or, tout cela nous échappe lorsque nous sommes adultes. Comment se fait-il donc que notre mémoire soit à ce point dépassée par les autres fonctions psychiques ? Nous aurions cependant des raisons de croire qu'à aucune autre période de la vie, la mémoire ne fût plus capable d'enregistrer et de reproduire les impressions [40].

D'autre part, nous devons admettre, ou inférer d'observations psychologiques faites sur les autres, que ces mêmes impressions tombées dans l'oubli n'en ont pas moins laissé dans notre âme les traces les plus profondes, et qu'elles furent décisives pour notre évolution ultérieure. Il ne peut donc être question d'une réelle disparition des impressions d'enfance, mais d'une amnésie analogue à celle qui, chez les névrosés, a effacé le souvenir d'événements survenus dans un âge plus avancé, et qui est caractérisée par le refus d'admettre certaines impressions dans la conscience (refoulement). Resterait à savoir quelles sont les forces qui amènent le refoulement des impressions infantiles. Celui qui aurait trouvé une réponse à cette question aurait, par là même, expliqué l'amnésie hystérique.

Toutefois, il est à remarquer que l'amnésie infantile permet de faire un nouveau rapprochement entre l'état mental de l'enfant et celui du névrosé. Nous avons déjà pu constater une analogie entre eux, quand nous avons établi que la sexualité du névrosé a conservé des caractères infantiles, ou, du moins, a été ramenée à ces caractères. Ne serait-on pas conduit à penser que l'amnésie infantile elle-même n'est pas sans rapport avec la sexualité de l'enfant ?

Quoi qu'il en soit, d'ailleurs, ce n'est pas un simple jeu d'esprit que de vouloir relier l'amnésie infantile à l'amnésie hystérique. Cette dernière, qui contribue au refoulement, s'explique seulement par le fait que l'individu possède un ensemble de vestiges laissés par le souvenir, dont la conscience ne peut pas disposer et qui deviennent, par un processus d'association, centres d'attraction pour les éléments que des forces parties de la conscience repoussent et refoulent [41]. On peut dire que, sans l'amnésie infantile, il n'y aurait pas d'amnésie hystérique.

C'est l'amnésie infantile qui, créant pour chacun de nous dans l'enfance une sorte de *préhistoire* et nous cachant les débuts de la vie sexuelle, fait que l'on néglige de prendre en considération l'importance de la période infantile dans le développement de la vie sexuelle en général. Il n'est pas possible à un seul observateur de combler cette lacune. Dès 1896, j'ai noté l'importance des premières années de la vie dans la production de certains phénomènes essentiels dépendant de la vie sexuelle, et je n'ai pas cessé depuis d'attirer l'attention sur cette donnée.

### I. LA PÉRIODE DE LATENCE SEXUELLE
#### PENDANT L'ENFANCE ET SES INTERRUPTIONS

Quand on se rend compte de la fréquence des mouvements sexuels soi-disant anormaux et exceptionnels chez l'enfant, ainsi que de la découverte de souvenirs d'enfance jusqu'ici inconscients chez les névrosés, on peut fixer l'attitude sexuelle de l'enfant de la manière suivante [42].

Il paraît certain que l'enfant apporte à sa naissance des germes de mouvements sexuels qui, pendant un certain temps, évoluent, puis subissent une répression progressive, interrompue à son tour par des poussées régulières de développement ou arrêtée par suite des particularités de l'individu. On ne peut rien dire de certain sur la régularité et la périodicité des oscillations de ce développement, mais il semble bien que la vie sexuelle de l'enfant, vers la troisième ou quatrième année, se manifeste déjà sous une forme qui la rend accessible à l'observation [43].

LES INHIBITIONS SEXUELLES. — C'est pendant la période de latence, totale ou partielle, que se constituent les forces psychiques qui, plus tard, feront obstacle aux pulsions sexuelles et, telles des digues limiteront et resserreront leur cours (le dégoût, la pudeur, les aspirations morales et esthétiques). Devant l'enfant né dans une société civilisée, on a le sentiment que ces digues sont l'œuvre de l'éducation, et certes l'éducation y contribue. En réalité, cette évolution conditionnée par l'organisme et fixée par l'hérédité peut parfois se produire sans aucune intervention de l'éducation. Celle-ci devra, pour rester dans ses limites, se borner à reconnaître les traces de ce qui est organiquement préformé, à l'approfondir et à l'épurer.

FORMATION RÉACTIONNELLE ET SUBLIMATION. — De

quelle manière se font donc ces constructions capables d'endiguer les tendances sexuelles, et qui décident de la direction que prendra le développement de l'individu ? Elles se constituent vraisemblablement aux dépens des tendances sexuelles de l'enfant qui ont continué d'exister dans la période de latence, mais qui, en totalité ou en partie, ont été détournées de leur usage propre et appliquées à d'autres fins. Les sociologues semblent d'accord pour dire que le processus détournant les forces sexuelles de leur but et les employant à des buts nouveaux, processus auquel on a donné le nom de *sublimation,* constitue l'un des facteurs les plus importants pour les acquisitions de la civilisation. Nous ajouterons volontiers que le même processus joue un rôle dans le développement individuel et que ses origines remontent à la période de latence sexuelle chez l'enfant [44].

Sur la nature du mécanisme de sublimation, on peut émettre une hypothèse. La sexualité, pendant ces années d'enfance, resterait sans emploi — les fonctions de la génération n'existant pas encore —, ce qui est bien le caractère essentiel de la période de latence, d'une part ; d'autre part, la sexualité serait par elle-même perverse, c'est-à-dire partant de zones érogènes et portées par des pulsions qui, en fonction du développement ultérieur de l'individu, ne pourront produire que des sentiments de déplaisir. Ces excitations sexuelles provoquées feraient ainsi entrer en jeu des contre-forces, ou des réactions, qui, pour pouvoir réprimer efficacement ces sensations désagréables, établiraient les digues psychiques qui nous sont connues (dégoût, pudeur, morale) [45].

INTERRUPTION DE LA PÉRIODE DE LATENCE. — Sans vouloir nous illusionner sur la nature hypothétique de nos vues relatives à la période de latence, nous dirons que la transformation de la sexualité infantile, telle que nous l'avons décrite plus haut, représente un des buts de l'éducation, idéal que l'individu n'atteint qu'imparfaitement, et dont souvent il s'écarte considérablement. Il arrive parfois qu'un fragment de la vie sexuelle qui a échappé à la sublimation fasse irruption ; ou encore il subsiste une activité sexuelle à travers toute la durée de la latence, jusqu'à l'épanouissement de la pulsion sexuelle avec la puberté.

Les éducateurs, pour autant qu'ils accordent quelque attention à la sexualité infantile, se comportent tout comme s'ils partageaient nos vues sur la formation, aux dépens de la sexualité, des forces morales défensives, et comme s'ils savaient par ailleurs que l'activité sexuelle rend l'enfant inéducable. En effet, ils poursuivent comme « vices » toutes les manifestations sexuelles de l'enfant, sans pouvoir d'ailleurs grand-chose contre elles. Nous avons toutes les raisons de nous intéresser à ce phénomène que l'éducation redoute, car il nous éclaire sur la forme originelle de la pulsion sexuelle.

## II. LES MANIFESTATIONS DE LA SEXUALITÉ
### CHEZ L'ENFANT

LE SUÇOTEMENT. — Pour des motifs que nous verrons plus loin, nous prenons le suçotement comme type des manifestations sexuelles de l'enfance ; le pédiatre hongrois Lindner lui a consacré une excellente étude [46].

Le suçotement qui existe déjà chez le nourrisson, et qui peut subsister jusqu'à l'âge adulte et même parfois toute la vie, est constitué par un mouvement rythmique et répété des lèvres, qui n'a pas pour but l'absorption d'un aliment. Une partie des lèvres, la langue, une autre région de la peau, souvent même le gros orteil, deviennent les objets du suçotement. En même temps apparaît une autre pulsion, celle de prendre et de tirailler d'une façon rythmique le lobe de l'oreille, l'enfant recherchant également, chez une autre personne, une partie du corps qu'il pourra saisir (le plus souvent aussi le lobe de l'oreille). La volupté de sucer absorbe toute l'attention de l'enfant, puis l'endort ou peut même amener des réactions motrices, une espèce d'orgasme [47]. Souvent aussi le suçotement s'accompagne d'attouchements répétés de la poitrine et des parties génitales externes. Ainsi, les enfants passent-ils souvent du suçotement à la masturbation.

[Lindner lui-même a clairement reconnu la nature sexuelle de cet acte. Les mères assimilent souvent le suçotement aux autres mauvaises habitudes sexuelles de l'enfant. De nombreux pédiatres et neurologues ont formulé de sérieuses objections à une telle conception, objection qui repose en partie sur la confusion entre le « sexuel » et le « génital ». La contradiction que nous constatons ici soulève une question difficile et inéluctable, à savoir quel est le critère à quoi l'on peut reconnaître les manifestations sexuelles chez l'enfant. Il me semble que les corrélations des phénomènes, qu'éclaire la psychanalyse, nous permettent de dire que le suçotement est un acte sexuel, et d'étudier en lui les traits essentiels de la sexualité infantile [48] *(modifié en 1915).*

L'AUTO-ÉROTISME. — L'exemple que nous venons de donner nous paraît donc mériter une attention toute particulière. Ce qui nous semble être le caractère le plus frappant de cette activité sexuelle, c'est qu'elle n'est pas dirigée vers une autre personne. L'enfant se satisfait de son propre corps ; son attitude est *auto-érotique,* pour employer un terme de Havelock Ellis [49].

Il semble bien aussi que l'enfant, quand il suce, recherche dans cet acte un plaisir déjà éprouvé et qui, maintenant, lui revient à la mémoire. En suçant de manière rythmique une partie d'épiderme ou de muqueuse, l'enfant se satisfait. Il est aisé de voir dans quelles circonstances l'enfant a, pour la première fois, éprouvé ce plaisir qu'il cherche maintenant à renouveler. C'est l'activité initiale et essentielle à la vie de l'enfant qui le lui a appris, la succion du sein maternel, ou de ce qui le remplace. Nous dirons que les lèvres de l'enfant ont joué le rôle de *zone érogène* et que l'excitation causée par l'afflux du lait chaud a provoqué le plaisir. Au début, la satisfaction de la zone érogène fut étroitement liée à l'apaisement de la faim. [L'activité sexuelle s'est tout d'abord étayée sur une fonction servant à conserver la vie, dont elle ne s'est rendue indépendante que plus tard] *(ajouté en 1915)*. Quand on a vu l'enfant rassasié abandonner le sein, retomber dans les bras de sa mère, et les joues rouges, avec un sourire heureux, s'endormir, on ne peut manquer de dire que cette image reste le modèle et l'expression de la satisfaction sexuelle qu'il connaîtra plus tard. Mais bientôt, le besoin de répéter la satisfaction sexuelle se séparera du besoin de nutrition, et la séparation sera devenue inévitable dès la période de dentition, lorsque la nourriture ne sera plus seulement tétée, mais mâchée. L'enfant ne se sert plus alors, pour la succion, d'un objet extérieur à son corps, mais préfère une partie de son propre épiderme, plus accessible, parce qu'il se rend ainsi indépendant du monde extérieur qu'il ne peut encore dominer ; et aussi parce que, de cette manière, se crée une seconde zone érogène, de moindre valeur cependant que la première. L'insuffisance de cette seconde zone sera une des raisons conduisant l'enfant à la recherche d'une partie de valeur équivalente : les lèvres d'une autre personne. « Dommage que je ne puisse me donner un baiser », pourrait-on lui faire dire.

Tous les enfants ne suçotent pas. Il est à supposer que c'est le propre de ceux chez lesquels la sensibilité érogène de la zone labiale est congénitalement fort développée. Si cette sensibilité persiste, l'enfant sera plus tard un amateur de baisers, recherchera les baisers pervers, et, devenu homme, il sera prédisposé à être buveur et fumeur. Mais s'il y a refoulement, il éprouvera le dégoût des aliments et sera sujet à des vomissements hystériques. En vertu de l'utilisation commune de la zone bucco-labiale, le refoulement se portera sur l'appétit. Nombre de femmes que j'ai soignées, et qui présentaient des troubles de l'appétit, la boule hystérique, le sentiment de constriction de la gorge, le vomissement, s'étaient passionnément livrées à la succion pendant leur enfance.

La succion nous a fait connaître les trois caractères essentiels de la sexualité infantile. [Celle-ci se développe en *s'étayant* sur une fonction physiologique essentielle à la vie] *(ajouté en 1915)*; elle ne connaît pas encore d'objet sexuel, elle est *auto-érotique* et son but est déterminé par l'activité d'une *zone érogène*. Disons, en anticipant, que ces caractères se retrouvent dans la plupart des manifestations érotiques de l'enfant.

## III. LE BUT SEXUEL DE LA SEXUALITÉ INFANTILE

CARACTÈRES DES ZONES ÉROGÈNES. — L'exemple de la succion peut nous apprendre bien des choses sur le caractère d'une zone érogène. Une zone érogène est une région de l'épiderme ou de la muqueuse qui, excitée de certaine façon, procure une sensation de plaisir d'une qualité particulière. Sans doute l'excita-

tion produisant le plaisir est-elle liée à certaines
conditions, que nous ne connaissons pas. Au nombre
de ces conditions, le caractère rythmique joue sans
doute un rôle : et une certaine analogie avec le
chatouillement est évidente. Il est moins sûr que le
caractère du plaisir éveillé par cette excitation soit
« spécifique », et que dans cette spécificité réside ce
qui caractérise la sexualité. A l'égard de la question
du plaisir et de la douleur, la psychologie tâtonne
encore dans l'obscurité ; de sorte qu'il est sage de s'en
tenir aux explications les plus prudentes. Plus tard,
nous trouverons peut-être des raisons qui nous
permettront de soutenir le caractère de spécificité de
la sensation de plaisir.

La propriété érogène semble être particulièrement
attachée à certaines parties du corps. Il y a des zones
érogènes d'élection, comme nous l'a montré l'exemple
de la succion ; mais ce même exemple nous apprend
aussi que n'importe quelle région de l'épiderme ou de
la muqueuse peut servir de zone érogène, et doit par
conséquent posséder certains caractères la rendant
propre à cet usage. C'est donc la qualité de l'excitation, bien plus que les propriétés de la région du
corps excitée, qui importe à la sensation de plaisir.
L'enfant qui suce, pour trouver de la volupté,
recherche et choisit sur son corps un endroit quelconque qui, par l'habitude, deviendra l'endroit préféré ;
lorsque le hasard lui fait rencontrer une région
particulièrement appropriée (mamelon, parties génitales), celle-ci conservera la primauté. Dans la
symptomatologie de l'hystérie, nous retrouvons des

déplacements analogues. En ce cas, le refoulement atteint surtout les zones génitales et celles-ci transfèrent leur excitabilité à d'autres régions érogènes, ordinairement quelque peu déchues dans la vie de l'adulte, et qui, dès lors, se comportent comme des organes génitaux. D'ailleurs, tout comme pour la succion, n'importe quelle partie du corps peut acquérir l'excitabilité de l'appareil génital, et s'élever au rang de zone érogène. Les zones érogènes et les zones hystériques ont des caractères identiques [50].

LE BUT DE LA SEXUALITÉ INFANTILE. — Le but sexuel de la pulsion chez l'enfant consiste dans la satisfaction obtenue par l'excitation appropriée de telle ou telle zone érogène. Il faut que l'enfant ait éprouvé la satisfaction auparavant pour qu'il désire la répéter, et nous devons admettre que la nature a fait en sorte que la connaissance d'une telle satisfaction ne soit pas laissée au hasard [51]. Nous connaissons, en ce qui concerne la région bucco-labiale, les moyens dont se sert la nature pour arriver à ses fins : cette partie du corps sert en même temps à la préhension des aliments. Nous rencontrerons d'autres dispositifs qui sont sources de l'activité sexuelle. L'état de besoin, qui exige le retour de la satisfaction, se révèle de deux manières : d'abord, par un sentiment particulier de tension, qui a quelque chose de douloureux, ensuite par une excitation *d'origine centrale,* un prurit projeté dans la zone érogène périphérique. On peut donc dire que le but de la sexualité est de substituer à la sensation d'excitation projetée dans la zone érogène une excitation extérieure qui l'apaise et crée un sentiment de satisfaction. Cette excitation extérieure est le plus souvent une manipulation analogue à la succion.

Le fait que ce besoin peut être aussi éveillé à la périphérie, par une modification de la zone érogène, concorde parfaitement avec nos connaissances physiologiques ; il est seulement quelque peu étonnant qu'une excitation, pour être apaisée, doive faire appel à une autre excitation appliquée au même endroit.

### IV. LES MANIFESTATIONS SEXUELLES MASTURBATOIRES[52]

Nous constatons avec satisfaction qu'il nous a suffi de connaître l'activité de la pulsion sexuelle dans une des zones érogènes pour connaître l'essentiel de l'activité sexuelle. Les différences que nous rencontrerons se rapportent aux procédés nécessaires pour produire la satisfaction : succion pour la zone bucco-labiale, action musculaire d'un genre différent pour les autres zones érogènes, selon leur topographie et leurs propriétés.

L'ACTIVITÉ DE LA ZONE ANALE. — La situation anatomique de la zone anale, tout comme celle de la zone bucco-labiale, la rend propre à *étayer* une activité sexuelle sur une autre fonction physiologique. On peut supposer que la valeur érogène de cette zone fut, à l'origine, considérable. Par la psychanalyse, on n'apprend pas sans surprise quelles transformations subissent normalement les excitations sexuelles nées de cette zone, et combien souvent il arrive que cette région conserve, pendant toute la vie de l'individu, un certain degré d'excitabilité génitale [53]. Les troubles intestinaux, si fréquents chez l'enfant, entretiennent dans cette région un état d'excitabilité intense. Le catarrhe intestinal du jeune âge rend l'enfant « nerveux », comme on dit. Plus tard, certains troubles morbides d'origine névrotique utilisent dans leur symptomatologie toute la gamme des troubles digestifs. Lorsqu'on tient compte du caractère érogène de la zone anale, caractère qu'elle a conservé, au moins sous une forme modifiée, on voit que l'on aurait tort de tourner en dérision la valeur attribuée aux hémorroïdes dans la genèse de certains états névrotiques, valeur à laquelle l'ancienne médecine attachait tant d'importance.

Les enfants qui utilisent l'excitabilité érogène de la zone anale se trahissent parce qu'ils retiennent leurs matières fécales, jusqu'à ce que l'accumulation de ces matières produise des contractions musculaires violentes, et que, passant par le sphincter anal, elles provoquent sur la muqueuse une vive excitation. On peut supposer qu'à une sensation douloureuse s'ajoute un sentiment de volupté. Voici un des meilleurs signes d'une future bizarrerie de caractère ou de nervosité : quand l'enfant, assis sur le vase, se refuse à vider ses intestins et, sans obéir aux injonctions de la mère, prétend le faire quand cela lui plaira. Naturellement, il lui est indifférent de souiller

ses couches : ce qui lui importe, c'est de ne pas
laisser échapper le plaisir qu'il tire, par surcroît, de
la défécation. L'éducateur ne se trompe pas lorsqu'il
appelle les enfants qui « se retiennent » des petits
polissons.

[Le contenu intestinal, pour une muqueuse pour-
vue de sensibilité sexuelle, joue donc le rôle de corps
excitant et précède en quelque sorte un organe
essentiel qui n'entrera en jeu qu'après l'enfance ;
mais il possède encore d'autres significations importantes. L'enfant le considère évidemment comme une
partie de son corps ; pour lui, c'est un « cadeau » qui
lui sert à prouver, s'il le donne, son obéissance et, s'il
le refuse, son entêtement. Ensuite, le cadeau prendra
la signification d'un « enfant », qui, selon une des
théories sexuelles infantiles, s'acquiert, s'engendre
en mangeant et naît par l'intestin] *(ajouté en 1915).*

La retenue des matières fécales qui, dans les
débuts, répond à l'intention d'en user comme excitant
masturbatoire de la zone anale ou de l'employer dans
les rapports avec les personnes de l'entourage, est
d'ailleurs une des origines de la constipation si
fréquente chez les névrosés. Ce qui montre l'importance de la zone anale, c'est qu'on ne trouve que fort
peu de névrosés n'ayant pas des habitudes scatologi-
ques spéciales, des cérémonies, qu'ils cachent soigneusement [54].

L'excitation masturbatoire de la zone anale à l'aide
du doigt, suggérée par un prurit d'origine centrale ou
d'origine périphérique, n'est pas rare dans la
deuxième enfance.

L'ACTIVITÉ DES ZONES GÉNITALES. — Parmi les zones érogènes de l'enfant, il en est une qui, certainement, n'a pas la primauté et ne peut être le point de départ des premiers mouvements sexuels, mais qui est destinée à jouer plus tard le grand rôle. Elle est, chez le garçon et la petite fille, en rapport avec la miction (gland, clitoris) ; chez le garçon, elle est en outre contenue dans un sac muqueux, de sorte que les excitations ne peuvent manquer de se produire, amenées par les sécrétions que des mouvements sexuels déterminent prématurément. L'activité sexuelle de cette zone érogène que constitue l'appareil génital forme le début de ce qui sera plus tard la vie sexuelle normale.

Étant donné la topographie anatomique de cette région, l'écoulement des sécrétions, les soins du corps (lavage et frictions), certaines excitations enfin dues au hasard (telles que les migrations des parasites intestinaux chez les petites filles), il devient inévitable que la sensation de plaisir que cette partie du corps est capable de donner se fasse sentir déjà chez le tout petit enfant et éveille un besoin de répétition. Si l'on envisage l'ensemble des habitudes qui président aux soins de l'enfant, et si l'on veut considérer que les soins de propreté ne peuvent avoir d'autres effets que ceux produits par la saleté et la négligence, [on en vient à penser que l'onanisme du nourrisson, auquel presque aucun être n'échappe, prépare le primat futur de la zone érogène génitale] *(modifié en 1915)*. Les actes qui font cesser l'excitation et amènent la satisfaction consistent, soit dans

des frottements à l'aide de la main, soit dans une
pression exercée par un mouvement de resserrement
des cuisses (mouvement préparé par des actes
réflexes). Ce dernier geste est fréquent surtout chez
les petites filles. Les garçons préfèrent la main, ce
qui fait prévoir l'importance qu'aura, dans l'activité
sexuelle du mâle, la pulsion de maîtriser [55].

[Pour plus de clarté, nous distinguerons trois
phases de la masturbation infantile. La première de
ces phases correspond au temps de l'allaitement, la
seconde à la courte période d'épanouissement de
l'activité sexuelle vers la quatrième année ; et c'est
seulement la troisième période qui correspondra à
l'onanisme de la puberté, la seule qui ait jusqu'ici
attiré l'attention des observateurs] *(ajouté en 1915)*.

SECONDE PHASE DE LA MASTURBATION INFANTILE. —
L'onanisme du nourrisson semble disparaître après
une courte période. Quand il persiste jusqu'à la
puberté, nous assistons à la première déviation
importante du développement qui doit être celui de
l'homme civilisé. A un moment donné, après le temps
de l'allaitement (d'ordinaire avant la quatrième
année), la pulsion sexuelle de cette zone génitale
paraît se réveiller et durer quelque temps, jusqu'à ce
qu'elle subisse une nouvelle répression ; à moins,
toutefois, qu'elle ne continue sans interruption. Les
différents cas qui peuvent se présenter sont fort
nombreux, et, pour les expliquer, il nous faudrait
analyser chacun d'eux en particulier. Mais ce qui est
commun à toutes les impressions subies pendant cette
*seconde* période d'activité sexuelle, c'est qu'elles

laissent des traces profondes (inconscientes) dans la mémoire, qu'elles déterminent le caractère de l'individu, s'il s'agit d'un sujet sain, et la symptomatologie de la névrose s'il s'agit d'un futur malade [56]. Dans ce dernier cas, on constate que la période sexuelle est tombée dans l'oubli, et que les souvenirs qui pourraient en témoigner ont été déplacés. J'ai déjà dit que je vois un rapport entre l'amnésie infantile normale et l'activité sexuelle de cet âge. Par la psychanalyse, on peut arriver à rappeler à la conscience ce qui a été oublié et, de cette manière, supprimer une compulsion provenant du matériel inconscient.

RETOUR DE LA MASTURBATION DU NOURRISSON. — L'excitation sexuelle de la période d'allaitement revient pendant la seconde enfance sous la forme d'un prurit d'origine centrale, qui invite à rechercher la satisfaction dans l'onanisme ou dans une espèce de pollution qui, comme celle de l'adulte, amènera une satisfaction sans qu'intervienne une manipulation. Ces sécrétions sont fréquentes chez les petites filles, dans la seconde enfance ; nous en connaissons mal les conditions. Il semble que le plus souvent, sinon toujours, elles soient précédées par une période d'onanisme actif. La symptomatologie de cette manifestation sexuelle est pauvre, l'organe génital est encore rudimentaire et l'appareil urinaire fait fonction de tuteur. La plupart des maladies de la vessie, pendant cette période, sont des troubles d'origine sexuelle ; l'énurésie nocturne correspond à une pollution dans tous les cas où elle ne relève pas de l'épilepsie.

Le renouveau de l'activité sexuelle est soumis à des influences déterminantes endogènes et exogènes. La symptomatologie des névroses et les recherches psychanalytiques nous aident à retrouver ces causes et à les déterminer de manière certaine. Nous nous réservons de parler plus tard des causes intérieures. Quant aux causes extérieures, elles acquièrent à ce moment une importance grande et durable. La plus importante de ces influences est celle exercée par la séduction, qui fait de l'enfant un objet sexuel prématuré, et lui apprend à connaître, dans des conditions impressionnantes, la satisfaction de la zone génitale ; l'enfant sera poussé le plus souvent à renouveler ces impressions par la pratique de l'onanisme. Il s'agit, dans ces cas, d'adultes, ou encore de camarades ; et je ne crois pas avoir exagéré, dans mon article publié en 1896 « Sur l'étiologie de l'hystérie », la fréquence ou l'importance de ces cas de séduction ; mais j'ignorais encore, à l'époque, que certains individus restés normaux subissent pendant leur enfance les mêmes impressions, et en conséquence, j'attachais alors plus d'importance à la séduction qu'aux facteurs de la constitution et du développement sexuels [57]. Il va sans dire que l'intervention d'une séduction n'est d'ailleurs pas nécessaire pour que s'éveille la sexualité chez l'enfant, et que cet éveil peut se faire spontanément sous l'influence de causes internes.

LA DISPOSITION PERVERSE POLYMORPHE. — Il est intéressant de constater que l'enfant, par suite d'une séduction, peut devenir un pervers polymorphe et être amené à toutes sortes de transgressions. Il y est donc prédisposé ; les actes pervers rencontrent des résistances, les digues psychiques qui s'opposeront aux excès sexuels (pudeur, dégoût, morale) n'étant pas établies ou n'étant qu'en voie de formation. L'enfant, dans la circonstance, ne se comporte pas autrement que ne le ferait, vis-à-vis du séducteur, la moyenne des femmes n'ayant pas subi l'influence de la civilisation et conservant ainsi une disposition perverse polymorphe. Une femme ainsi disposée peut sans doute, dans les circonstances ordinaires de la vie, rester sexuellement normale ; mais, sous l'empire d'un séducteur averti, elle prendra goût à toutes les perversités et en fera désormais usage dans son activité sexuelle. La prostituée use de cette disposition polymorphe et, par conséquent, infantile, dans l'intérêt de sa profession ; et si l'on considère le nombre immense de femmes prostituées et de celles auxquelles on ne saurait dénier les aptitudes à la prostitution, quoiqu'elles aient échappé au métier, on devra reconnaître que cette disposition à toutes les perversions est quelque chose de profond et de généralement humain.

LES PULSIONS PARTIELLES. — La séduction ne nous apprend rien sur les débuts de la vie sexuelle chez l'enfant : au contraire, les cas de séduction peuvent facilement nous induire en erreur en ce que nous aurons affaire à des enfants qui, prématurément, ont eu connaissance d'un objet sexuel vers lequel ne les poussait aucun besoin. Toutefois, nous devons reconnaître que la sexualité de l'enfant, quelque prédomi-

nant que soit le rôle joué par les zones érogènes,
comprend, en outre, des composantes qui le poussent
à rechercher, dès le début, d'autres personnes comme
objet sexuel. Parmi ces composantes, mentionnons
celles qui poussent les enfants à être des voyeurs et
des exhibitionnistes, ainsi que la pulsion à la
cruauté. Ces pulsions, dont les connexions intimes
avec la vie génitale ne s'affirmeront que plus tard,
existent cependant dès l'enfance, bien qu'elles soient
alors indépendantes de l'activité sexuelle des zones
érogènes. Le petit enfant manque au plus haut point
de pudeur et montre, dans les années de la première
enfance, un plaisir non équivoque à découvrir son
corps en attirant l'attention sur ses parties génitales.
La contrepartie de cette tendance, que nous considérons comme perverse, est la curiosité qui cherche à
voir les parties génitales d'autres personnes. Cette
curiosité se manifeste dans la seconde enfance
lorsque l'obstacle constitué par la pudeur a atteint
une certaine force. Sous l'influence de la séduction,
la perversion voyeuriste peut acquérir une grande
importance dans la vie sexuelle de l'enfant. Toutefois, des investigations faites sur des enfants, des
gens normaux et des névrosés m'ont fait admettre que
la pulsion de voir peut, dans le domaine sexuel, se
produire d'une manière spontanée. Les petits
enfants, une fois que leur attention a été attirée sur
leurs parties génitales, le plus souvent à la suite de la
masturbation, continuent dans cette voie sans intervention étrangère et montrent le plus vif intérêt pour
les parties génitales de leurs petits camarades.

L'occasion de satisfaire cette curiosité ne se présentant que lorsque s'accomplissent les fonctions de miction et de défécation, les enfants deviennent des voyeurs, c'est-à-dire des spectateurs assidus de ces actes physiologiques. Lorsque ces tendances ont été refoulées, le désir de contempler l'appareil génital (de l'un ou l'autre sexe) persiste et peut prendre la forme d'une compulsion obsédante, qui, chez certains névrosés, devient une force déterminante dans la création de symptômes morbides.

La cruauté, facteur de la composante sexuelle, est, dans son développement, encore plus indépendante de l'activité sexuelle liée aux zones érogènes. L'enfant est, en général, porté à la cruauté, car la pulsion de maîtriser n'est pas encore arrêtée par la vue de la douleur d'autrui, la pitié ne se développant que relativement tard. Jusqu'ici, comme on le sait, on n'est pas encore parvenu à faire une analyse approfondie de cette pulsion : [ce que nous pouvons admettre, c'est que la tendance à la cruauté dérive de la pulsion de maîtriser, et qu'elle fait son apparition dans la vie sexuelle à un moment où les organes génitaux n'ont pas encore pris leur rôle définitif. Elle domine toute une phase de la vie sexuelle que nous aurons à décrire plus tard comme organisation prégénitale] *(modifié en 1915)*. Les enfants qui se montrent particulièrement cruels envers les animaux et envers leurs camarades sont d'ordinaire, et à juste titre, soupçonnés de connaître une activité intense et précoce des zones érogènes, et, bien que toutes les pulsions sexuelles aient, dans ce cas, un développement prématuré, il semble que ce soit l'activité des zones érogènes qui l'emporte. L'absence de pitié entraîne un danger : l'association formée pendant l'enfance entre les pulsions érotiques et la cruauté se montrera plus tard indissoluble.

Une des origines érogènes de la tendance passive à la cruauté (masochisme) est l'excitation douloureuse de la région fessière, phénomène bien connu depuis les *Confessions* de J.-J. Rousseau. Les éducateurs en ont déduit avec raison que les châtiments corporels, qui sont généralement appliqués à cette partie du corps, doivent être évités chez tous les enfants qui, subissant les influences de la civilisation, courent le danger de développer leur libido selon des voies collatérales [58].

[V. LES RECHERCHES SEXUELLES DE L'ENFANT

LA PULSION DE SAVOIR. — A cette même époque où la vie sexuelle de l'enfant atteint son premier degré d'épanouissement — de la troisième à la cinquième année —, on voit apparaître les débuts d'une activité provoquée par la pulsion de rechercher et de savoir. La pulsion de savoir ne peut pas être comptée parmi les composantes pulsionnelles élémentaires de la vie affective et il n'est pas possible de la faire dépendre exclusivement de la sexualité. Son activité correspond d'une part à une sublimation de l'action d'emprise, et, d'autre part, elle utilise comme énergie le désir de voir. Toutefois, les rapports qu'elle présente avec la vie sexuelle sont très importants ; la psychanalyse nous montre ce besoin de savoir bien plus tôt qu'on ne le pense généralement. L'enfant s'attache aux problèmes sexuels avec une intensité imprévue et l'on peut même dire que ce sont là les problèmes éveillant son intelligence.

L'ÉNIGME DU SPHINX. — Ce n'est pas un intérêt théorique mais un besoin pratique qui pousse l'enfant à ces recherches. Lorsqu'il se sent menacé par l'arrivée réelle ou supposée d'un nouvel enfant dans la famille, et qu'il a lieu de craindre que cet événement n'entraîne pour lui une diminution de soins ou d'amour, il se met à réfléchir et son esprit commence à travailler. Le premier problème qui le préoccupe, en conformité avec son développement, n'est pas de savoir en quoi consiste la différence des sexes, mais la grande énigme : d'où viennent les enfants ? Sous un déguisement qu'on peut facilement percer, cette énigme est la même que celle du Sphinx de Thèbes. Qu'il y ait deux sexes, l'enfant l'accepte sans objection et sans y attacher beaucoup d'importance. Les petits garçons ne mettent pas en doute que toutes les personnes qu'ils rencontrent ont un appareil génital semblable au leur ; il ne leur est pas possible de concilier l'absence de cet organe avec l'idée qu'ils se forment d'autrui.

COMPLEXE DE CASTRATION ET ENVIE DU PÉNIS. — Les petits garçons maintiennent même avec ténacité cette conviction, la défendent contre les faits contradictoires que l'observation ne tarde pas à leur révéler, et ils ne l'abandonnent souvent qu'après avoir passé par de graves luttes intérieures (complexe de castration). Leurs efforts en vue de trouver un équivalent au pénis perdu de la femme jouent un grand rôle dans la genèse de perversions multiples [59].

L'hypothèse d'un seul et même appareil génital (de l'organe mâle chez tous les hommes) est la première des théories sexuelles infantiles, curieuses à étudier et fécondes en conséquences. Peu importe pour l'enfant que la biologie confirme son préjugé en reconnaissant dans le clitoris de la femme un réel substitut du pénis. La petite fille, par contre, ne se refuse pas à accepter et reconnaître l'existence d'un sexe différent du sien, une fois qu'elle a aperçu l'organe génital du garçon ; elle est sujette à l'envie du pénis qui la porte au désir, si important plus tard, d'être à son tour un garçon.

THÉORIES SUR LA NAISSANCE. — Nombre de personnes se rappelleront avec quel intérêt elles se sont demandé, pendant la période prépubertaire, d'où venaient les enfants. Les solutions anatomiques auxquelles elles s'étaient arrêtées étaient diverses. Elles supposaient que les enfants naissaient du sein, ou qu'ils sortaient du ventre par une incision, ou que le nombril s'ouvrait pour les laisser passer [60]. Sans le secours de la psychanalyse, on ne se souvient que très rarement des recherches faites à ce sujet pendant l'enfance ; un refoulement est intervenu, mais toutes ces recherches aboutissaient à un même résultat : on met l'enfant au monde quand on a mangé quelque chose de spécial (ainsi que dans les contes de fées) et les enfants naissent par l'intestin, comme lorsqu'on va à la selle. Ces théories infantiles rappellent certains faits de la zoologie, ainsi l'existence des cloaques dans les espèces inférieures.

CONCEPTION SADIQUE DES RAPPORTS SEXUELS. — Lorsque de jeunes enfants sont témoins des rapports de leurs parents (qui, fréquemment, leur en fournissent l'occasion, croyant l'enfant trop jeune pour comprendre la vie sexuelle), ils ne manqueront pas d'interpréter l'acte sexuel comme une espèce de mauvais traitement, ou d'abus de force ; c'est-à-dire qu'ils donneront à cet acte une signification sadique. La psychanalyse nous fait connaître qu'une telle impression reçue dans la première enfance contribue beaucoup à favoriser ultérieurement un déplacement sadique du but sexuel. Les enfants se préoccupent aussi beaucoup de savoir en quoi peut consister le rapport des sexes, ou, comme ils disent, le fait d'être mariés ; la solution à laquelle ils s'arrêtent d'habitude est une union qui s'accomplirait au moment de la miction ou de la défécation.

ÉCHEC TYPIQUE DES INVESTIGATIONS SEXUELLES DE L'ENFANT. — On peut dire, en général, que les théories sexuelles infantiles ne sont que le reflet de la constitution sexuelle et que, malgré des erreurs bizarres, elles témoignent d'une plus grande intelligence des actes sexuels qu'on ne pourrait d'abord le supposer. Les enfants s'aperçoivent des modifications qu'apporte la grossesse chez la mère, et l'interprétation qu'ils en font est juste. La légende des cigognes rencontre chez eux une grande méfiance, qu'ils n'expriment pas. Toutefois l'enfant, ignorant le rôle du sperme dans la vie sexuelle et l'existence de l'orifice vaginal, deux éléments peu présents à cet âge, ne peut aboutir dans ses recherches ; lorsqu'il y renonce, ce n'est pas sans faire un tort durable à sa pulsion de savoir. L'enfant dans ces recherches sexuelles est toujours solitaire ; c'est pour lui un premier pas en vue de s'orienter dans le monde, et il se sentira étranger aux personnes de son entourage, qui jusque-là avaient eu sa pleine confiance] *(chapitre ajouté en 1915).*

## [VI. PHASES DU DÉVELOPPEMENT DE L'ORGANISATION SEXUELLE

Nous avons jusqu'à présent considéré comme caractérisant la vie infantile le fait qu'elle est essentiellement auto-érotique (l'enfant trouve son objet dans son propre corps) et que les pulsions partielles sont mal liées entre elles et indépendantes les unes des autres dans leur recherche du plaisir. Ce développement aboutit à la vie sexuelle que nous sommes accoutumés d'appeler normale chez l'adulte, dans laquelle la poursuite du plaisir est mise au service de la procréation, tandis que les pulsions partielles, se soumettant au primat d'une zone érogène unique, ont formé une organisation solide capable d'atteindre le but sexuel désormais rattaché à un objet sexuel étranger au sujet.

ORGANISATIONS PRÉGÉNITALES. — En étudiant à l'aide de la psychanalyse les inhibitions et les troubles de ce développement, nous reconnaissons qu'il existe des rudiments et des préformations d'une organisation des pulsions partielles qui ont ainsi réalisé une espèce de régime sexuel. Normalement, l'enfant passe sans difficulté par les diverses phases de l'organisation sexuelle, sans que celles-ci puissent être décelées par autre chose que par des indices. Ce n'est que dans les cas pathologiques qu'elles s'accusent et deviennent facilement reconnaissables.

Nous appelons *prégénitales* des organisations de la vie sexuelle dans lesquelles les zones génitales n'ont pas encore imposé leur primat. Jusqu'ici nous en connaissons deux, qui suggèrent un retour aux formes primitives de la vie animale.

Une première organisation sexuelle prégénitale est celle que nous appellerons *orale*, ou, si vous voulez, *cannibale*. L'activité sexuelle, dans cette phase, n'est pas séparée de l'ingestion des aliments ; à l'intérieur de cette activité, des courants opposés n'apparaissent pas encore. Les deux activités ont le même objet et le but sexuel est constitué par l'*incorporation* de l'objet, prototype de ce que sera plus tard l'*identification* appelée à jouer un rôle important dans le développement psychique. La succion peut être considérée comme un résidu de cette phase d'organisation, qui n'a qu'une existence virtuelle et que la pathologie seule nous fait connaître. En effet, dans la succion, l'activité sexuelle, séparée de l'activité alimentaire, n'a fait que remplacer l'objet étranger par une partie du corps du sujet [61].

Une seconde phase prégénitale est celle que nous appelons *sadique-anale*. Ici, l'opposition qui se retrouve partout dans la vie sexuelle apparaît clairement ; toutefois, ce ne sont pas encore *masculin* et *féminin* qui s'opposent, mais les deux termes antagonistes : *actif* et *passif*. L'élément actif semble constitué par la pulsion de maîtriser, elle-même liée à la musculature ; l'organe dont le but sexuel est passif sera représenté par la muqueuse intestinale érogène. Les deux pulsions ont des objets qui d'ailleurs ne coïncident pas. A côté d'elles d'autres pulsions partielles ont une activité auto-érotique. Dans cette phase du développement de la vie sexuelle, on trouve déjà la polarité sexuelle et l'existence d'un objet hétéro-érotique. Ce qui fait encore défaut, c'est l'organisation et l'assujettissement des pulsions partielles à la fonction de procréation [62].

L'AMBIVALENCE. — Cette forme d'organisation sexuelle peut subsister pendant toute la vie et exercer sa domination sur une grande partie de l'activité sexuelle. Le sadisme évident et l'importance de la zone anale, qui joue le rôle de cloaque, donnent à cette organisation sexuelle un caractère prononcé d'archaïsme. Une autre caractéristique : les pulsions antagonistes sont d'égale force, ce que l'on peut exprimer par le terme heureux d'*ambivalence* introduit par Bleuler.

L'hypothèse de telles organisations prégénitales de la vie sexuelle repose sur l'analyse des névroses et ne peut guère se justifier que par la connaissance de celles-ci. Nous pouvons nous attendre à ce que nos recherches psychanalytiques nous fassent de mieux en mieux connaître la structure et le développement des fonctions sexuelles normales.

Pour compléter l'image de la sexualité infantile, il faut ajouter que, très souvent (on pourrait dire toujours), dès l'enfance, il est fait choix d'un objet sexuel (choix que nous avons défini comme caractérisant la puberté), de manière que toutes les tendances sexuelles convergent vers une seule personne et cherchent dans celle-ci leur satisfaction. Ainsi se réalise dans les années d'enfance la forme de sexualité qui se rapproche le plus de la forme définitive de la vie sexuelle. La différence entre ces organisations et l'état définitif se réduit au fait que la synthèse des pulsions partielles n'est pas réalisée chez l'enfant, ni leur soumission complète au primat de la zone génitale. Seule, la dernière phase du développement sexuel amènera l'affirmation de ce primat[63].

LES DEUX TEMPS DU CHOIX DE L'OBJET. — Un des caractères du choix sexuel est qu'il sera fait en deux temps, par deux poussées. La première poussée commence entre deux et cinq ans, puis elle est arrêtée par une période de latence qui peut même provoquer une régression. Elle est caractérisée par la nature infantile des buts sexuels. La deuxième poussée commence à la puberté et détermine la forme définitive que prendra la vie sexuelle.

Que le choix de l'objet se fasse en deux poussées,

autrement dit qu'il existe une période de latence sexuelle, est d'une grande importance dans la genèse des troubles de l'état définitif. Le choix de l'enfant survit dans ses effets, soit qu'ils demeurent avec leur intensité première, soit que, pendant la puberté, ils connaissent un renouveau. Par suite du refoulement qui se place entre les deux phases, l'objet du choix n'est pas utilisable. Les buts sexuels ainsi formés ont subi une sorte d'adoucissement et se présentent à cette période comme constituant un courant de *tendresse* dans la vie sexuelle. Seule, la psychanalyse peut montrer que, derrière cette tendresse, ce respect et cette vénération se cachent les anciennes tendances sexuelles engendrées par les pulsions partielles devenues inutilisables. L'adolescent ne peut faire choix d'un nouvel objet sexuel qu'après avoir renoncé aux objets de son enfance, et lorsqu'un nouveau courant *sensuel* apparaîtra. Si les deux courants n'arrivent pas à la confluence, il s'ensuivra que l'un des idéaux de la vie sexuelle, à savoir la concentration de toutes les formes du désir sur un même objet, ne pourra être atteint] *(chapitre ajouté en 1915).*

## VII. LES SOURCES DE LA SEXUALITÉ INFANTILE

Nos recherches sur les origines profondes de la sexualité nous ont appris que l'excitation sexuelle naît : *a)* par reproduction d'une satisfaction éprouvée en rapport avec des processus organiques non

sexuels ; *b*) par excitation périphérique des zones
érogènes ; *c*) par l'effet de certaines pulsions dont
nous connaissons encore mal les origines, telles la
pulsion de voir et la pulsion de cruauté. Les résultats
concernant l'enfance que nous tirons d'une psychanalyse d'adulte et les observations faites sur l'enfant
nous font connaître d'autres sources continues de
l'excitation sexuelle. L'observation directe a l'incon-
vénient de prêter facilement à des malentendus ; ce
qui rend, d'autre part, la tâche du psychanalyste
difficile, c'est qu'il ne parvient à l'objet de son étude
et aux conclusions que par de longs détours. Toutefois, en combinant les deux méthodes, on arrivera à
un degré suffisant de certitude.

Les zones érogènes possèdent, nous le savons déjà,
à un degré supérieur, des qualités d'excitabilité ;
mais celles-ci se retrouvent à quelque degré dans
toute la surface épidermique. Nous ne serons donc
pas étonnés d'apprendre qu'il faut attribuer à certaines excitations de la peau des effets d'une érogénéité
incontestable. Parmi celles-ci, mentionnons comme
très importantes les sensations thermiques, ce qui
nous aidera peut-être à comprendre les effets théra-
peutiques du bain chaud.

EXCITATIONS D'ORDRE MÉCANIQUE. — Dans le même
ordre de choses viennent se placer les secousses et
les mouvements rythmiques d'origine mécanique,
qui, par l'intermédiaire de l'appareil sensoriel du nerf
vestibulaire, de l'épiderme et de l'appareil de la
sensibilité profonde (muscles, articulations), agissent
en provoquant des excitations différentes. Avant

d'analyser les sensations de plaisir produites par les excitations mécaniques, nous devons faire remarquer que, dans les passages qui suivent, nous userons des termes « excitation sexuelle » et « satisfaction » sans faire entre eux de différence, nous réservant d'en préciser le sens plus tard. Je vois la preuve de ce que certaines secousses mécaniques provoquent le plaisir dans le fait que les enfants adorent certains jeux, tels que la balançoire, et qu'y ayant goûté, ils ne cessent d'en demander la répétition [64]. On berce les enfants pour les endormir. Les secousses rythmiques d'une promenade en voiture ou d'un voyage en chemin de fer impressionnent les enfants plus âgés, au point que tous les garçons du moins rêvent d'être mécaniciens ou chauffeurs. Ils attachent un intérêt excessif et énigmatique à tout ce qui concerne les chemins de fer ; parvenus à l'âge de l'imagination, c'est-à-dire peu avant la puberté, ils en font le moyen d'une symbolique sexuelle précise. Ce qui crée un lien compulsif entre les sensations provoquées par le mouvement du chemin de fer et la sexualité, c'est évidemment le caractère de plaisir attaché aux sensations motrices. Si ensuite intervient le refoulement qui change en leur contraire les préférences de l'enfant, il arrivera que l'adolescent ou l'adulte réagiront par un état nauséeux au balancement et au bercement ; ou encore ils seront complètement épuisés pas un voyage en chemin de fer, tandis que d'autres seront sujets à des accès d'angoisse ; il peut en résulter la *phobie du chemin de fer* qui serait un moyen de défense de l'individu contre la répétition d'expériences fâcheuses.

C'est dans cet ordre d'idées que nous devons chercher l'explication du fait que l'action combinée de l'effroi et de l'ébranlement mécanique engendre la grave névrose traumatique hystériforme. On peut du moins supposer que les mêmes influences qui, à un degré inférieur d'intensité, sont des sources d'excitation, peuvent produire, quand elles deviennent excessives, des troubles profonds du mécanisme [ou du chimisme] *(ajouté en 1924)* sexuel.

L'activité musculaire. — Que l'activité musculaire exercée librement soit pour l'enfant un besoin, d'où il tire un plaisir considérable, est un fait bien connu. Autre chose est de savoir si ce plaisir a quelque rapport avec la sexualité, s'il renferme en soi une satisfaction sexuelle ou peut devenir l'occasion d'excitations de ce genre. Supposer cette connexion soulèvera certainement des objections, qui d'ailleurs s'adresseront également à l'hypothèse émise plus haut, et selon laquelle le plaisir provoqué par des mouvements passifs serait de nature sexuelle, ou tout au moins pourrait éveiller des sensations de cet ordre. Beaucoup de personnes constatent qu'elles ont pour la première fois ressenti une excitation de l'appareil génital pendant les luttes corps à corps avec des camarades. Alors, à la tension de tous les muscles vient s'ajouter l'action excitante des contacts de peau avec l'adversaire. Quand on recherche la lutte corporelle avec une personne déterminée, ou qu'à un âge plus avancé on est disposé à une joute verbale avec elle (qui s'aime se taquine), il est à présumer que le choix sexuel tombera sur cette personne. Une des origines de la pulsion sadique pourrait être retrouvée dans ce fait que l'activité musculaire favorise l'excitation sexuelle. Chez un grand nombre d'individus, l'association formée pendant l'enfance entre l'amour de la lutte et l'excitation sexuelle contribue à déterminer ce que sera plus tard leur activité sexuelle préférée [65].

Processus affectifs. — Les autres sources de l'excitation sexuelle chez l'enfant sont moins sujettes à discussion. Il est facile de constater par l'observation directe et par l'analyse régressive que tous les processus affectifs ayant atteint un certain degré d'intensité, y compris le sentiment d'épouvante, retentissent sur la sexualité ; ce qui, d'ailleurs, contribuera à nous faire comprendre les effets pathogènes d'émotions de ce genre. Chez les écoliers, la peur de l'examen, l'attention exigée par un devoir difficile peuvent faire éclore des manifestations sexuelles ; une excitation poussera l'enfant à toucher ses parties génitales ou provoquera même une espèce de pollution suivie de toutes ses conséquences troublantes. La conduite des enfants à l'école, qui paraît souvent inexplicable aux éducateurs, doit être comprise en fonction de leur sexualité naissante. L'excitation qui suit certaines émotions pénibles (angoisse, effroi, épouvante) persiste chez un grand nombre d'adultes. Ceci nous explique comment tant d'individus recherchent des sensations de cet ordre, à condition toutefois qu'elles soient entourées de circonstances particulières qui leur donnent le caractère d'irréalité (lectures, théâtre) et diminuent ainsi ce qu'elles ont de pénible et de douloureux. Si l'on pouvait supposer que les sensations douloureuses intenses produisent, elles aussi, des effets érogènes, surtout lorsque leur acuité est atténuée par les circonstances concomitantes, ou qu'elles ne sont pas directement ressenties, nous pourrions voir dans ce fait psychique une des principales sources de la pulsion sadomasochique dont la nature complexe et multiple serait par là même un peu éclaircie[66].

TRAVAIL INTELLECTUEL. — Enfin, il est évident que la concentration de l'attention sur un travail intellectuel et la tension de l'esprit en général sont accompagnées chez un grand nombre de jeunes gens et d'adultes d'une excitation sexuelle connexe, et ceci peut être considéré comme le seul fondement de la théorie contestable qui fait remonter les troubles nerveux à un surmenage intellectuel.

Si nous résumons ce que les différents exemples et observations, non encore publiés d'ailleurs dans leur entier, nous ont appris sur les sources de l'excitation sexuelle infantile, nous pouvons dégager les traits suivants, ou tout au moins les esquisser : des causes multiples concourent au déclenchement du processus sexuel, qui, il est vrai, dans son essence, nous est devenu de plus en plus énigmatique. Ce sont avant tout, d'une façon plus ou moins directe, les excitations des surfaces sensibles (téguments et organes sensoriels) qui y pourvoient et, de la façon la plus immédiate, les excitations qui se produisent dans certaines zones dites érogènes. Ici, c'est la qualité de l'excitation qui importe, bien que l'intensité (en ce qui concerne la douleur) ne soit pas entièrement à négliger. Ajoutons que, dans l'organisme, se trouvent des dispositifs qui font que l'excitation sexuelle se produit en tant qu'effet surajouté dans un grand nombre de processus internes, dès que l'intensité de ceux-ci a dépassé un certain seuil quantitatif. Ce que nous avons nommé pulsions partielles de la sexualité, ou bien dérive directement de ces sources internes, ou bien représente un effet combiné de ces mêmes sources et de l'action des zones érogènes. Il se peut que rien d'important ne se passe dans l'organisme sans fournir une composante à l'excitation de la pulsion sexuelle.

Il ne me paraît pas possible pour le moment de donner à cette thèse une plus grande clarté et précision. Et cela pour les raisons suivantes : tout d'abord parce que le point de vue exposé ici dans son ensemble est entièrement neuf, ensuite parce que la nature de l'excitation sexuelle nous est encore complètement inconnue. Cependant, je ferai ici deux remarques qui semblent devoir ouvrir de larges horizons :

Différences dans les constitutions sexuelles. — *a*) Nous avons envisagé la possibilité de ramener les variétés des constitutions sexuelles congénitales à des différences dans le développement des zones érogènes. Nous pourrons essayer de faire maintenant quelque chose d'analogue en tenant compte des sources indirectes de l'excitation sexuelle. Il nous est permis de supposer que si ces sources, chez tous les individus, apportent des courants, ceux-ci ne sont pas chez tous d'une égale force, et que la prédominance de tel ou tel d'entre eux expliquera les différences dans les constitutions sexuelles des individus [67].

Voies d'influence réciproque. — *b*) Abandonnons maintenant l'image dont nous nous sommes servis si longtemps lorsque nous parlions des « sources » de l'excitation sexuelle et supposons des chemins qui mèneraient d'une fonction non sexuelle à une fonction sexuelle et qui pourraient être parcourus dans les deux sens. Si, par exemple, le fait que la zone des lèvres appartient aux deux fonctions explique que la satisfaction sexuelle se produit lors de l'ingestion des aliments, cela nous aidera à comprendre que des troubles anorexiques apparaissent dès que les fonctions érogènes de la zone commune sont troublées. Puisque nous savons que la concentration de l'attention peut éveiller une excitation sexuelle, nous pouvons supposer que, par un processus sur la même voie, mais dirigé en sens inverse, l'état d'excitation sexuelle influera sur l'utilisation de l'attention disponible. Une grande partie de la symptomatologie des névroses que je fais dériver des troubles sexuels consiste en altérations de fonctions physiologiques qui n'ont aucun caractère sexuel. Cette influence de la sexualité, qui jusqu'ici ne paraissait pas pouvoir s'expliquer, perd quelque chose de son caractère énigmatique quand on la considère comme une contrepartie des influences qui règlent le processus de l'excitation sexuelle.

Les mêmes voies par lesquelles les troubles sexuels retentissent sur les autres fonctions somatiques doivent servir chez le normal à une autre activité importante. C'est par ces voies que devrait se poursuivre l'attraction des pulsions sexuelles vers des buts non sexuels, c'est-à-dire la sublimation de la sexualité. Mais nous devons avouer, pour finir, que nous savons encore peu de chose de manière certaine au sujet de ces voies, qui certainement existent et qui, selon toute probabilité, peuvent être parcourues dans les deux sens.

III

*Les transformations
de la puberté*

Avec le commencement de la puberté apparaissent des transformations qui amèneront la vie sexuelle infantile à sa forme définitive et normale. La pulsion sexuelle était jusqu'ici essentiellement auto-érotique ; elle va maintenant découvrir l'objet sexuel. Elle provenait de pulsions partielles et de zones érogènes qui, indépendamment les unes des autres, recherchaient comme unique but de la sexualité un certain plaisir. Maintenant, un but sexuel nouveau est donné, à la réalisation duquel toutes les pulsions partielles coopèrent, tandis que les zones érogènes se subordonnent au primat de la zone génitale[68]. Le nouveau but sexuel déterminant pour les deux sexes des fonctions très différentes, les évolutions sexuelles respectives divergent fortement. Celle de l'homme est la plus logique, la plus facile à interpréter, tandis que chez la femme se produit une espèce de régression. Le caractère normal de la vie sexuelle est assuré par la conjonction, vers l'objet et le but sexuels, de deux courants : celui de la tendresse et celui de la sensualité. [Le premier de ces courants comprend en soi ce qui a subsisté de la première floraison de la sexualité infantile] *(ajouté en 1920)*. Il se produit quelque chose de comparable au percement d'un tunnel entrepris par les deux côtés.

Chez l'homme, le but sexuel consiste dans l'émission des produits génitaux. Loin d'être étranger à l'ancien but qui était le plaisir, le nouveau but lui ressemble en ce que le maximum de plaisir est attaché à l'acte final du processus sexuel. La pulsion sexuelle se met maintenant au service de la fonction de reproduction ; elle devient pour ainsi dire altruiste. Pour comprendre que cette transformation puisse réussir, nous devons tenir compte des dispositions originelles et des caractères propres des pulsions.

Comme dans tous les cas où se créent dans l'organisme de nouvelles combinaisons et de nouveaux rapports en vue d'un mécanisme complexe, des troubles peuvent se produire si le processus vient à être suspendu. Tous les troubles morbides de la vie sexuelle peuvent, à bon droit, être considérés comme résultant d'inhibitions dans le cours du développement.

### I. LE PRIMAT DES ZONES GÉNITALES ET LE PLAISIR PRÉLIMINAIRE

Le commencement et le but final de l'évolution que nous venons de décrire nous apparaissent clairement.

Les stades intermédiaires nous sont encore souvent obscurs. Nous devrons leur laisser plus d'une énigme.

Pour déterminer le processus de la puberté, on a choisi ce qu'il y a de plus frappant, savoir le développement de l'appareil génital externe, dont l'arrêt relatif de croissance correspond à la période de latence sexuelle de l'enfance. En même temps, le développement des organes génitaux internes a amené à maturité les produits génitaux et les a rendus capables de former un nouvel être. Ainsi s'est constitué un appareil d'une grande complexité, prêt à être utilisé. Cet appareil peut être mis en action par des excitations, et l'observation nous fait connaître que les excitations peuvent naître de trois manières différentes. Ou bien elles proviennent du monde extérieur, par la stimulation des zones érogènes que nous connaissons déjà ; ou bien elles procèdent de l'intérieur de l'organisme, par des voies qui restent encore à étudier ; ou enfin elles ont pour point de départ la vie psychique qui se présente comme un réservoir d'impressions extérieures et un poste de réception pour les excitations intérieures. Ces trois mécanismes déterminent un état que nous appelons : « excitation sexuelle ». Il se manifeste par des symptômes de deux ordres, les uns psychiques, les autres somatiques. Les symptômes psychiques consistent en un certain état de tension, de caractère particulièrement pressant. Parmi les nombreux symptômes physiques, nous citerons en premier lieu une série de modifications de l'appareil génital dont la signification n'est pas douteuse, une préparation à l'acte sexuel (érection du membre masculin et sécrétion vaginale).

LA TENSION SEXUELLE. — En considérant le caractère de tension de l'excitation sexuelle, on est amené à se poser un problème dont la solution serait aussi difficile qu'importante pour l'interprétation des processus sexuels. Quelles que soient les divergences d'opinion que nous trouvions dans la psychologie moderne, je maintiens qu'un sentiment de tension a toujours un caractère de déplaisir. Ce qui me décide à l'admettre, c'est qu'un tel sentiment comporte un besoin de changement de la situation psychologique, ce qui est complètement étranger au plaisir. Mais dès le moment où nous classons la tension provoquée par l'excitation sexuelle parmi les sentiments de déplaisir, nous nous heurtons au fait que cette tension, sans aucun doute, est ressentie comme plaisir. Partout, dans tous les processus sexuels, on trouve à la fois tension et plaisir, et même dans les manifestations préparatoires dans l'appareil génital, apparaît une sorte de satisfaction. Il resterait donc à savoir comment la tension, qui a un caractère de déplaisir, et le sentiment de plaisir peuvent s'accorder.

Ce qui se rapporte au problème du plaisir et du déplaisir touche à l'un des points sensibles de la psychologie moderne. Nous nous bornerons à tirer de cette étude les renseignements qu'elle peut nous donner, et nous éviterons d'envisager l'ensemble du problème lui-même[69]. Commençons par jeter un regard sur la manière dont les zones érogènes s'adaptent à l'ordre nouveau. Il leur revient un rôle important dans le stade initial de l'excitation sexuelle.

L'œil, zone érogène la plus éloignée de l'objet sexuel, joue un rôle particulièrement important dans les conditions où s'accomplira la conquête de cet objet, en transmettant la qualité spéciale d'excitation qui nous donne le sentiment de la beauté. Les qualités de l'objet sexuel, nous les nommerons : excitantes (*). Cet excitant détermine, d'une part, un plaisir ; il entraîne, d'autre part, une augmentation de l'excitation sexuelle, ou la provoque si elle manque encore. Si à cette première excitation s'en ajoute une autre, provenant d'une zone érogène différente, par exemple des attouchements de la main, l'effet reste le même : sentiment de plaisir bientôt renforcé par un plaisir nouveau, qui provient des modifications préparatoires, et augmentation de la tension sexuelle qui, bientôt, prendra un caractère de déplaisir des plus marqués, si on ne lui permet pas d'aboutir au plaisir ultérieur. Le cas est peut-être encore plus clair lorsque, chez une personne qui n'est pas émue sexuellement, une zone érogène particulière est excitée (par exemple l'épiderme du sein chez la femme). Cet attouchement suffit à susciter un sentiment de plaisir, en même temps qu'il est plus propre que tout autre à éveiller l'excitation sexuelle, qui appelle à son tour un surcroît de plaisir. Comment se

(*) *Reize*, qui signifie à la fois excitation et charme. *(Note du traducteur.)*

fait-il que, éprouvant le plaisir, on sollicite un plus grand plaisir, voilà tout le problème.

MÉCANISME DU PLAISIR PRÉLIMINAIRE. — Dans ce cas que nous venons de citer, le rôle qui incombe aux zones érogènes est clair. Ce qui est vrai pour l'une d'elles est vrai pour toutes. Elles servent toutes à créer, à la suite d'une excitation appropriée, une certaine somme de plaisir, point de départ de l'accroissement de la tension, laquelle devra à son tour fournir l'énergie motrice nécessaire à l'aboutissement de l'acte sexuel. Son avant-dernière étape est caractérisée par l'excitation appropriée d'une zone érogène, de la zone génitale localisée au gland, par l'objet le plus approprié à cet effet, savoir la muqueuse vaginale ; et le plaisir que cette excitation procure engendre, cette fois-ci par voie réflexe, l'énergie motrice qui commande l'éjaculation des produits génitaux. Ce plaisir ultime, culminant par son intensité, diffère par son mécanisme de ceux qui l'ont précédé. Il est tout entier amené par une détente ; c'est un plaisir reposant sur la satisfaction, et avec lui disparaît pour un temps la tension de la libido.

Il me paraît justifié de fixer cette différence entre le plaisir provoqué par l'excitation des zones érogènes et le plaisir de l'émission des produits génitaux, en employant des termes différents. Le premier de ces plaisirs peut être désigné comme *plaisir préliminaire*, par opposition au *plaisir terminal*. Le plaisir préliminaire est cela même à quoi les pulsions sexuelles infantiles peuvent aboutir, encore que d'une façon rudimentaire. La chose nouvelle qui apparaît est le plaisir terminal, lequel par conséquent, selon toutes probabilités, est lié à certaines conditions ne se présentant qu'à la puberté. La formule de la nouvelle fonction des zones érogènes peut être énoncée ainsi : au moyen du plaisir préliminaire, obtenu comme il l'était chez l'enfant, elles servent à produire le plaisir de satisfaction qui représente le degré supérieur.

J'ai expliqué récemment, en me servant d'un autre exemple tiré d'un domaine psychologique tout différent, un cas analogue où une jouissance supérieure est atteinte au moyen d'une sensation de plaisir de moindre intensité, qui prend en quelque sorte une valeur de prime d'attraction. Je me suis servi de cet exemple pour analyser de plus près l'essence du plaisir [70].

DANGERS DU PLAISIR PRÉLIMINAIRE. — Le rapport que nous venons d'établir entre le plaisir préliminaire et la vie sexuelle de l'enfant est corroboré par l'action pathogène que ce plaisir peut exercer. Dans le mécanisme dont le plaisir préliminaire fait partie réside manifestement un certain danger ; ce danger, relatif à l'aboutissement normal de l'acte sexuel, se manifeste dès le moment où, à une étape quelconque du processus sexuel préparatoire, le plaisir préliminaire devient trop grand, tandis que la part de tension reste trop faible. Dans ce cas, la force pulsionnelle fléchit, en sorte que le processus sexuel ne peut continuer ; le chemin à parcourir se raccourcit, l'action préparatoire se substitue au but normal de la sexualité. Selon l'expérience, cela suppose que la

zone érogène dont il est question, à laquelle correspond la pulsion partielle, a déjà, au cours de la vie
infantile, contribué de manière excessive à la production du plaisir. Si, plus tard, s'ajoutent certaines
circonstances qui tendent à créer une fixation, une
compulsion apparaîtra, qui s'opposera à ce que le
plaisir préliminaire s'intègre au mécanisme nouveau.
De nombreuses perversions sont en effet caractéri-
sées par un tel arrêt aux actes préparatoires.

On évitera le mieux cet avortement du mécanisme
sexuel dû au plaisir préliminaire, quand le primat de
la zone génitale aura été préformé pendant l'enfance.
Au cours de la seconde enfance (de huit ans jusqu'à
la puberté), toutes les dispositions semblent prises à
cet effet. Pendant ces années-là, les zones génitales
se comportent à peu près de la même manière qu'au
temps de la maturité. Elles deviennent le siège
d'excitations et de modifications préparatoires lorsqu'un plaisir est ressenti provenant de la satisfaction
d'une zone érogène quelconque, et bien que ceci soit
encore sans finalité, c'est-à-dire ne contribue en rien
à continuer le processus sexuel. Ainsi, pendant
l'enfance, à côté du plaisir de satisfaction, se forme
une certaine tension sexuelle, quoique moins
constante et moins intense ; et maintenant, nous
pouvons comprendre comment, en discutant les
sources de la sexualité, nous avons dit avec raison
que le processus qui nous occupe agit en satisfaisant
sexuellement aussi bien qu'en excitant sexuellement.
Cela nous démontre que nous avions d'abord exagéré
la différence entre la vie sexuelle infantile et celle de

l'âge adulte, et nous apportons la correction nécessaire. Les manifestations infantiles de la sexualité ne
déterminent pas seulement les déviations, mais
encore les formations normales de la vie sexuelle
adulte.

## II. LE PROBLÈME DE L'EXCITATION SEXUELLE

Nous n'avons pas expliqué jusqu'ici d'où provient
la tension sexuelle qui accompagne le plaisir lors de
la satisfaction des zones érogènes, et quelle peut être
sa nature [71]. La première hypothèse qui se présente
consiste à supposer que cette tension résulterait en
quelque manière du plaisir même ; elle ne peut être
acceptée puisque, lors du plaisir culminant lié à
l'émission des produits génitaux, non seulement il ne
se produit plus de tension, mais encore toute tension
disparaît. Cela nous fait admettre que le plaisir et la
tension sexuelle ne sont liés entre eux que d'une
manière indirecte.

RÔLE DES PRODUITS SEXUELS. — Outre ce fait que,
normalement, l'émission des produits génitaux met
fin à l'excitation sexuelle, d'autres indices nous
permettent d'établir une connexion entre la tension et
les produits génitaux. Au cours d'une vie continente,
l'appareil génital se délivre à des périodes variables,
mais avec quelque régularité ; pendant la nuit se
produit une décharge accompagnée d'une sensation
de plaisir, au cours de l'hallucination du rêve qui

représente un acte sexuel ; pour expliquer ce processus — la pollution nocturne — on est tenté de croire
que la tension sexuelle, qui sait trouver le raccourci
de l'hallucination pour remplacer l'acte, existe en
fonction de l'accumulation du sperme dans les
réservoirs des produits génitaux. Les expériences que
l'on peut faire sur l'épuisement du mécanisme sexuel
fournissent des indications dans le même sens.
Lorsque les réserves séminales sont épuisées, non
seulement l'accomplissement de l'acte sexuel devient
impossible, mais encore l'excitabilité des zones érogènes fait défaut. Même excitées par des moyens
appropriés, les zones ne produisent plus de plaisir.
C'est ainsi que nous constatons en passant qu'un
certain degré de tension sexuelle est nécessaire pour
que les zones érogènes puissent entrer en état
d'excitation.

On serait ainsi amené à émettre une supposition
qui, si je ne me trompe, est assez généralement
admise, et selon laquelle l'accumulation des produits
génitaux créerait la tension et l'entretiendrait : le
phénomène proviendrait peut-être d'une pression que
ces produits exerceraient sur les parois de leurs
réservoirs, laquelle agirait comme excitant d'un
centre médullaire dont l'état serait à son tour perçu
par les centres supérieurs, en sorte que le sentiment
de tension apparaîtrait dans la conscience. Le fait
que l'excitation des zones érogènes augmente la
tension sexuelle ne pourrait alors s'expliquer que si
nous admettions que ces zones érogènes sont liées
aux centres par des connexions anatomiques préfor-

mées, qu'elles augmentent dans ces centres le tonus de l'excitation, et enfin que la tension, ayant atteint un degré suffisant, provoque l'acte sexuel, ou si elle est insuffisante, incite à la production de produits génitaux.

La faiblesse de cette doctrine, que nous retrouvons par exemple dans la description que donne Krafft-Ebing du processus sexuel, réside en ceci : tenant exclusivement compte de l'activité sexuelle chez l'adulte, elle néglige en grande partie trois ordres de fonctions qu'elle devrait éclaircir : chez l'enfant, chez la femme et chez le châtré mâle. Dans ces trois cas, il ne peut être question d'une accumulation des produits génitaux, ce qui rend l'application intégrale de la théorie difficile. Toutefois, on peut concéder qu'il existe certains témoignages permettant d'y faire rentrer ces cas eux-mêmes. Il reste néanmoins qu'il faut se garder d'attribuer à l'ensemble des facteurs que nous venons d'examiner un rôle qu'ils ne me semblent pas capables de jouer.

IMPORTANCE DE L'APPAREIL SEXUEL INTERNE. — Ce qui prouve que l'excitation sexuelle est, à un degré appréciable, indépendante de la formation des produits génitaux, ce sont les expériences faites sur les châtrés mâles, qui parfois conservent une libido intacte malgré l'opération subie (le résultat contraire, qui est le but même de l'opération, étant atteint en règle générale). [En outre, on sait depuis longtemps que des maladies ayant supprimé la production des glandes génitales chez l'homme laissent intactes la libido et la puissance de l'individu devenu stérile] *(ajouté en 1920).* Il n'est donc pas étonnant, comme C. Rieger semble le trouver, que la perte des glandes spermatogènes, à un âge déjà avancé, puisse rester sans influence sur l'attitude psychique de l'individu. Il est vrai que la castration effectuée avant l'âge de la puberté, pendant l'âge tendre, entraîne jusqu'à un certain point la suppression des caractères sexuels ; et, dans ce cas, il se pourrait qu'en dehors de la perte des glandes génitales, une inhibition d'évolution résultant de leur destruction se produisît.

[THÉORIE CHIMIQUE. — Les expériences d'ablation des glandes génitales (ovaires et testicules) faites sur des animaux, et des greffes de nouveaux organes chez les vertébrés [72] ont enfin jeté une lumière sur l'origine de l'excitation sexuelle, et diminué encore l'importance que l'on peut attacher à l'accumulation des produits cellulaires génitaux. Il a été possible expérimentalement (E. Steinach) de changer un mâle en une femelle, et inversement, ce qui produit une transformation simultanée dans l'attitude de l'animal et qui correspond aux caractères sexuels somatiques. Toutefois, cette influence déterminant le sexe ne serait pas attribuable à la partie de la glande génitale qui produit les cellules spécifiques (spermatozoïde et ovule), mais au tissu interstitiel qui, pour cette raison, est désigné comme « glande de la puberté » par les auteurs que nous venons de citer. Il est possible que les recherches ultérieures aient pour résultat de nous faire admettre que la « glande de la puberté » est à l'état normal androgyne, ce qui donnerait un fondement anatomique à la vie bisexuelle des animaux supérieurs ; il est, dès maintenant, probable qu'elle n'est pas l'unique organe jouant un rôle dans la production de l'excitation sexuelle. Quoi qu'il en soit, d'ailleurs, la nouvelle découverte biologique est liée à ce que nous avons dit précédemment sur l'action du corps thyroïde à l'égard de la sexualité. Nous sommes maintenant autorisés à croire que la partie interstitielle des glandes génitales produit des matières chimiques d'un caractère particulier, qui, véhiculées par la circulation sanguine, amènent certaines parties du système nerveux central à un état de tension sexuelle. Nous connaissons déjà le cas de transformations d'une excitation provenant de certaines toxines exogènes en une excitation organique de caractère spécifique. Présentement, il ne peut être question d'étudier, même sous forme d'hypothèse, comment l'excitation sexuelle prend naissance par la stimulation de zones érogènes, précédée d'une tension de l'appareil central, et quelles sont les complications d'excitations purement toxiques et physiologiques qui résultent de ces processus. Il suffit de dégager ici d'une telle conception la notion de certaines substances d'un caractère particulier dérivant du métabolisme sexuel] *(modifié en 1920).* Car cette théorie, qui peut d'abord paraître arbitraire, est appuyée sur un fait très important. Celles des névroses qui peuvent se ramener uniquement à des troubles de la vie sexuelle ont la plus grande ressemblance clinique avec les phénomènes d'intoxication et d'état de besoin qu'engendre l'ingestion habituelle de certains toxiques (alcaloïdes) qui procurent du plaisir.

## [III. THÉORIE DE LA LIBIDO

L'hypothèse selon laquelle l'excitation sexuelle aurait une base chimique concorde parfaitement avec les conceptions que nous nous sommes formées pour nous aider à comprendre et à dominer les manifestations psychiques de la vie sexuelle. Nous nous sommes arrêtés à une notion de la *libido* qui en fait une force quantitativement variable nous permettant de mesurer les processus et les transformations dans le domaine de l'excitation sexuelle. Nous distinguons la libido de l'énergie qu'il faut supposer à la base de tous les processus psychiques en général ; la distinction que nous établissons correspond aux origines propres de la libido ; nous lui prêtons ainsi, en plus de son caractère quantitatif, un caractère qualitatif. Quand nous distinguons l'énergie de la libido de toute autre énergie psychique, nous supposons que les processus sexuels de l'organisme se distinguent des fonctions de nutrition par un chimisme particulier. L'analyse des perversions et des psychonévroses nous a fait connaître que cette excitation sexuelle ne provient pas seulement des parties dites génitales, mais de tous les autres organes. Nous nous formons ainsi la notion d'une quantité de libido dont le représentant psychique serait ce que nous appelons la *libido du moi*, dont la production, l'augmentation et la diminution, la répartition et les déplacements devront nous fournir les moyens d'expliquer les phénomènes psychosexuels.

Toutefois, la libido du moi ne devient accessible à l'analyse que lorsqu'elle s'est emparée d'objets sexuels, c'est-à-dire quand elle est devenue la *libido d'objet*. C'est alors que nous la voyons se concentrer sur des objets, s'y fixer ou les abandonner, les quitter pour se tourner vers d'autres objets et, des positions dont elle s'est emparée, commander l'activité sexuelle des individus, mener enfin à la satisfaction, c'est-à-dire à une extinction partielle et temporaire de libido. La psychanalyse de ce que nous avons coutume de nommer les névroses de transfert (hystérie et névrose obsessionnelle) permet d'arriver sur ce point à des certitudes.

En ce qui concerne la libido d'objet, nous voyons que, détachée de ses objets, elle reste en suspens dans des conditions particulières de tension et que, finalement, elle rentre dans le moi, de sorte qu'elle redevient libido du moi. Nous appelons aussi la libido du moi, en opposition à la libido d'objet, libido *narcissique*. La psychanalyse nous conduit à jeter un regard vers une région qu'il ne nous est pas permis d'explorer, celle de la libido narcissique, et de nous former une idée des rapports entre les deux libido [73]. La libido du moi, ou narcissique, nous apparaît comme formant le grand réservoir d'où partent les investissements d'objet et vers lequel ils sont ensuite ramenés ; l'investissement libidinal du moi nous apparaît comme l'état originel réalisé dans l'enfance, état qui s'est trouvé masqué ultérieurement lorsque la

libido s'est orientée vers l'extérieur, mais qui au fond
s'est conservé.

Une théorie de la libido qui prétendrait expliquer
les troubles névrotiques et psychotiques devrait pouvoir exprimer tous les phénomènes observés et ceux
qu'on peut en inférer dans les termes que nous fournit
l'analyse de la libido même. On supposera facilement
que les transformations de la libido du moi seront
d'une importance majeure, surtout là où il s'agit
d'expliquer des troubles profonds de nature psychoti-
que. Ce qui rend l'entreprise malaisée, c'est que, si
jusqu'à présent la psychanalyse nous renseigne d'une
manière certaine sur les transformations de la libido
d'objet [74], par contre elle n'est pas encore à même de
distinguer, de manière nette, la libido du moi des
autres énergies qui agissent dans le moi [75] *(chapitre
ajouté en 1915).* [C'est pourquoi on ne peut actuelle-
ment poursuivre une théorie de la libido que par la
méthode spéculative. Mais on renonce à tout ce que
nous ont apporté les observations psychanalytiques
faites jusqu'ici si, avec C. G. Jung, on dilue la notion
de libido, en l'identifiant à celle d'énergie psychique
en général. La discrimination des pulsions sexuelles
des autres, la limitation de la notion de libido aux
pulsions sexuelles trouvent leur plus puissant appui
dans l'hypothèse que nous avons formulée plus haut,
relative à un chimisme particulier de la fonction
sexuelle] *(paragraphe ajouté en 1920).*

## IV. DIFFÉRENCIATION DES SEXES

On sait que c'est seulement à la période de la puberté que l'on voit apparaître une distinction nette entre le caractère masculin et le caractère féminin, opposition qui, par la suite, exerce plus que toute autre une influence décisive sur le cours de la vie. Il est vrai que les dispositions mâle et femelle se manifestent déjà durant l'âge infantile. Le développement des inhibitions sexuelles (pudeur, dégoût, pitié) s'accomplit de bonne heure chez les petites filles, et rencontre moins de résistance que chez les jeunes garçons. Chez les filles également, le penchant au refoulement sexuel paraît jouer un plus grand rôle, et lorsque les pulsions sexuelles partielles se manifestent, elles prennent de préférence la forme passive. Toutefois, l'activité auto-érotique des zones érogènes est la même pour les deux sexes, et ceci empêche que, dans l'âge infantile, la différence sexuelle soit aussi manifeste qu'elle le sera après la puberté. Si on prend en considération les manifestations auto-érotiques et masturbatoires, on peut émettre la thèse que la sexualité des petites filles a un caractère foncièrement mâle. Bien plus, en attachant aux conceptions de mâle et femelle des notions plus précises, on peut affirmer que la libido est, de façon constante et régulière, d'essence mâle, qu'elle apparaisse chez l'homme ou chez la femme, et, abstraction faite de son objet, homme ou femme [76].

Depuis que j'ai eu connaissance de la théorie de la bisexualité, j'ai attaché une importance décisive à ce facteur, et je crois qu'on ne saurait interpréter les manifestations sexuelles de l'homme et de la femme sans en tenir compte.

ZONES ÉROGÈNES CONDUCTRICES CHEZ L'HOMME ET CHEZ LA FEMME. — Ajoutons encore que, chez la petite fille, la zone érogène conductrice est localisée au clitoris, qui est l'homologue de la zone génitale mâle située dans le gland. Tout ce que mon expérience a pu m'apprendre sur la masturbation des petites filles m'a démontré l'importance du clitoris à l'exclusion des autres parties génitales externes, dont le rôle décisif dans la vie sexuelle n'apparaîtra que plus tard. Je doute même que la petite fille, à de rares exceptions près, puisse être amenée sous l'influence de la séduction à autre chose qu'à la masturbation clitoridienne. Les manifestations sexuelles spontanées que l'on rencontre si fréquemment chez les petites filles apparaissent sous la forme de contractions spasmodiques du clitoris et les érections si fréquentes de cet organe suffisent à les renseigner sur les manifestations sexuelles de l'autre sexe, en leur permettant de traduire par leur propre sensation ce que le jeune garçon éprouve.

Si l'on veut comprendre l'évolution qui conduit la petite fille à la femme, il faut suivre les différentes phases par lesquelles passe l'excitation clitoridienne. La puberté qui, chez le jeune garçon, amène la grande poussée de la libido, est caractérisée chez la jeune fille par une nouvelle vague de refoulement, qui atteint particulièrement la sexualité clitoridienne. Ce qui est alors refoulé, c'est un élément de sexualité mâle. Le renforcement des obstacles opposés à la sexualité, qui apparaît lors du refoulement caractéristique de la puberté, procure un élément excitant à la libido de l'homme, et l'incite à une activité plus intense. Proportionnée à l'augmentation de la libido, la surestimation sexuelle augmente et atteint alors son plein épanouissement, en face de la femme qui se refuse et renie son caractère sexuel. Le clitoris, quand il est excité lors de l'acte sexuel, auquel finalement la femme se prête, garde son rôle qui consiste à transmettre l'excitation aux parties génitales contiguës, un peu à la façon d'un bois d'allumage qui sert à faire brûler du bois plus dur. Il se passe parfois un certain temps avant que cette transmission ait lieu, pendant lequel la jeune femme n'est pas sensibilisée au plaisir. Une telle insensibilité peut s'établir de façon durable, lorsque la zone du clitoris se refuse à transmettre son excitation — ce qui peut être dû principalement à son activité excessive pendant la période infantile. On sait que l'insensibilité des femmes est le plus souvent apparente et simplement locale. Insensibles aux excitations de l'orifice vaginal, elles ne le sont pas à une excitation partant du clitoris, ou même d'une autre zone. A ces causes érogènes d'insensibilité, s'ajoutent d'autres causes, de caractère psychique, qui, comme les premières, sont conditionnées par un refoulement.

Quand la transmission de l'excitation érogène s'est faite du clitoris à l'orifice du vagin, un changement de zone conductrice s'est opéré chez la femme, dont dépendra à l'avenir sa vie sexuelle, tandis que l'homme, lui, a conservé la même zone depuis son enfance. Avec ce changement de la zone érogène conductrice, avec la poussée de refoulement dans la période de puberté qui semble pour ainsi dire vouloir supprimer le caractère de virilité sexuelle chez la petite fille, nous trouvons les conditions qui prédisposent la femme aux névroses, et particulièrement à l'hystérie. Ces conditions dépendent étroitement de l'essence de la féminité.

## V. LA DÉCOUVERTE DE L'OBJET

Dans le même temps où le processus de la puberté amène le primat des zones génitales, où la poussée du membre viril devenu érectile indique le nouveau but, c'est-à-dire la pénétration dans une cavité qui saura produire l'excitation, le développement psychique permet de trouver l'objet à la sexualité, ce qui avait été préparé depuis l'enfance. A l'époque où la satisfaction sexuelle était liée à l'absorption des aliments, la pulsion trouvait son objet au-dehors, dans le sein de la mère. Cet objet a été ultérieurement perdu, peut-être précisément au moment où l'enfant est devenu capable de voir dans son ensemble la personne à laquelle appartient l'organe qui lui apporte une satisfaction. La pulsion sexuelle devient, dès lors, auto-érotique, et ce n'est qu'après avoir dépassé la période de latence que le rapport originel se rétablit. Ce n'est pas sans raison que l'enfant au sein de la mère est devenu le prototype de toute relation amoureuse. Trouver l'objet sexuel n'est, en somme, que le retrouver [77].

L'OBJET SEXUEL DANS LA PÉRIODE D'ALLAITEMENT. — Toutefois, de ce rapport sexuel qui est le premier et le plus important de tous, il subsiste, même après la séparation effectuée de l'activité sexuelle d'avec l'absorption des aliments, un résidu important qui contribue à préparer le choix de l'objet, et ainsi à retrouver le bonheur perdu. Pendant toute la période de latence, l'enfant apprend à *aimer* d'autres personnes qui l'aident, dans sa détresse originelle, et qui satisfont à ses besoins ; et cet amour se forme sur le modèle des rapports établis avec la mère pendant la période d'allaitement et en continuation avec ceux-ci. On se refusera peut-être à identifier les sentiments tendres, et les préférences de l'enfant pour les personnes qui en ont la charge, avec l'amour sexuel. Mais je crois qu'une recherche psychologique plus approfondie peut établir cette identité avec une absolue certitude. Les rapports de l'enfant avec les personnes qui le soignent sont pour lui une source continue d'excitations et de satisfactions sexuelles partant des zones érogènes. Et cela d'autant plus que la personne chargée des soins (généralement la mère) témoigne à l'enfant des sentiments dérivant de sa propre vie sexuelle, l'embrasse, le berce, le considère, sans aucun doute, comme le substitut d'un objet sexuel complet [78]. Il est probable qu'une mère

serait vivement surprise si on lui disait qu'elle éveille
ainsi, par ses tendresses, la pulsion sexuelle de son
enfant, et en détermine l'intensité future. Elle croit
que ses gestes témoignent d'un amour asexuel et
« pur » dans lequel la sexualité n'a aucune part,
puisqu'elle évite d'exciter les organes sexuels de
l'enfant plus que ne le demandent les soins corporels.
Mais la pulsion sexuelle, nous le savons, n'est pas
éveillée seulement par l'excitation de la zone génitale ; ce que nous appelons tendresse ne pourra
manquer d'avoir un jour une répercussion sur la zone
génitale. D'ailleurs, si la mère était mieux renseignée
sur l'importance des pulsions dans l'ensemble de la
vie mentale, dans toute l'activité éthique et psychique, elle éviterait de se faire le moindre reproche.
Car elle ne fait qu'accomplir son devoir quand elle
apprend à aimer à l'enfant, qui doit devenir un être
complet et sain, doué d'une sexualité bien développée, et qui, dans sa vie, devra suffire à tout ce que la
pulsion lui commande. Il est vrai qu'un excès de
tendresse parentale deviendra nuisible parce qu'il
pourra amener une sensualité précoce, qu'il
« gâtera » l'enfant, qu'il le rendra incapable de
renoncer pendant un temps à l'amour ou de se
satisfaire d'un amour plus mesuré. Le fait que
l'enfant se montre insatiable dans son besoin de la
tendresse parentale est un des meilleurs présages
d'une nervosité ultérieure ; et, d'autre part, ce seront
précisément des parents névropathes, qui, comme on
le sait, sont enclins à une tendresse démesurée, qui
éveilleront par leurs caresses les prédispositions de

l'enfant à des névroses. Cet exemple nous montre ainsi qu'il y a des voies plus directes que l'hérédité pour la transmission des névroses aux enfants.

Angoisse infantile. — La conduite des enfants, dès l'âge le plus tendre, indique bien que leur attachement aux personnes qui les soignent est de la nature de l'amour sexuel. L'angoisse chez les enfants n'est à l'origine pas autre chose qu'un sentiment d'absence de la personne aimée. C'est aussi pourquoi ils s'approchent de tout étranger avec peur ; ils sont angoissés dans l'obscurité, car on n'y voit pas la personne aimée, et cette angoisse ne s'apaise que lorsqu'ils peuvent tenir sa main. Nous exagérons l'importance des loups-garous et des histoires effrayantes de nourrices, quand nous les rendons responsables des peurs infantiles. Seuls, les enfants prédisposés se laissent impressionner par de tels contes, qui restent sans effet sur les autres ; ce sont les enfants dont la pulsion sexuelle est précoce, ou devenue excessive et exigeante, qui montrent une prédisposition aux angoisses. L'enfant se comporte dans ce cas comme l'adulte : sa libido se change en angoisse dès le moment qu'elle ne peut atteindre à une satisfaction ; et l'adulte, devenu névrosé par le fait d'une libido non satisfaite, se comportera dans ses angoisses comme un enfant. Il commence à avoir peur dès qu'il est laissé seul, c'est-à-dire sans une personne sur l'amour de qui il croit pouvoir compter ; et pour se défaire de ses angoisses, il aura recours aux mesures les plus puériles [79].

La barrière contre l'inceste. — Si la tendresse

des parents réussit à ne pas éveiller la pulsion sexuelle de l'enfant prématurément, c'est-à-dire si elle évite de lui donner, avant que les conditions physiques de la puberté soient réalisées, une intensité telle que l'excitation psychique se porte d'une façon non douteuse sur le système génital, alors cette tendresse pourra satisfaire à la tâche qui lui incombe, et qui consiste à guider l'enfant devenu adulte dans le choix de l'objet sexuel. Certes, l'enfant tendrait naturellement à choisir les personnes qu'il a aimées depuis son enfance, d'une libido en quelque sorte atténuée [80]. Mais la maturité sexuelle ayant été différée, on a gagné le temps nécessaire pour édifier, à côté d'autres inhibitions sexuelles, la barrière contre l'inceste. L'enfant a pu se pénétrer des préceptes moraux qui excluent expressément du choix de l'objet les personnes aimées pendant l'enfance, appartenant au même sang que lui. Une telle inhibition est commandée par la société, obligée d'empêcher que la famille n'absorbe toutes les forces dont elle doit se servir pour former des organisations sociales supérieures ; la société fait alors usage de tous les moyens, afin que, en chacun de ses membres, et particulièrement chez l'adolescent, se relâchent les liens familiaux qui existaient seuls pendant l'enfance [81].

Mais le choix de l'objet s'accomplit d'abord sous la forme de représentations, et la vie sexuelle de l'adolescent ne peut, pour le moment, que s'abandonner à des fantasmes, c'est-à-dire à des représentations qui ne sont pas destinées à se réaliser [82]. Dans

ces fantasmes, on retrouve chez tous les hommes les
tendances et inclinations de l'enfant renforcées alors
par le développement somatique; et parmi ces tendances, celle qui compte le plus par l'importance et
la fréquence est l'inclination sexuelle qui, la plupart
du temps, a acquis un caractère différencié en vertu
de l'attirance sexuelle de l'enfant vers les parents : le
fils vers la mère et la fille vers le père[83]. En même
temps que ces fantasmes incestueux sont rejetés et
dépassés, s'accomplit un travail psychologique propre au temps de la puberté, qui compte parmi les plus
importants, mais aussi les plus douloureux, savoir
l'effort que fait l'enfant pour se soustraire à l'autorité
des parents, effort qui seul produit l'opposition, si
importante pour le progrès, entre la nouvelle génération et l'ancienne. A chacune de ces phases du
développement que doit connaître l'être normal,
certains individus peuvent s'arrêter ; et c'est ainsi que
l'on trouve des personnes qui jamais ne se sont sous-
traites à l'autorité paternelle, qui n'ont pas su détacher de leurs parents leurs sentiments tendres, ou du
moins n'ont pu le faire que de manière imparfaite. Il
s'agit surtout de jeunes filles qui, à la grande joie des
parents, restent attachées, bien au-delà de la
puberté, à l'amour filial plein et entier ; il est
intéressant de constater que ces jeunes filles, quand
elles viennent à se marier, ne sont pas en état de
donner à leur mari tout ce qui lui est dû. Ce seront
des épouses froides, et elles resteront sexuellement
insensibles. On peut en déduire que l'amour filial,
apparemment non sexuel, et l'amour sexuel s'alimen-

tent aux mêmes sources ; c'est-à-dire que l'amour filial n'est qu'une fixation infantile de la libido.

Plus on considère de près les troubles profonds de l'évolution psychosexuelle, et plus on prend conscience de l'importance que l'élément incestueux a dans le choix de l'objet. Dans les cas de psychonévroses, l'activité psychosexuelle recherchant l'objet reste dans l'inconscient, en grande partie ou en totalité, par suite d'une dénégation de la sexualité. Les jeunes filles qui éprouvent un besoin de tendresse excessive, en même temps qu'une horreur également excessive devant les exigences de la vie sexuelle, sont exposées à une tentation irrésistible qui les mène, d'une part, à rechercher dans la vie l'idéal d'un amour asexuel, et, d'autre part, à masquer leur libido par une tendresse qu'elles peuvent manifester sans avoir à se faire de reproches, en conservant toute leur vie leurs affections infantiles pour les parents, les frères et les sœurs, affections que la puberté a renouvelées. La psychanalyse, qui recherche à travers les symptômes morbides leur pensée inconsciente, et l'amène en même temps à la conscience, pourra sans difficulté prouver à des individus de ce type qu'ils sont *amoureux* de leurs parents, dans le sens ordinaire que l'on donne au mot. Il en est de même dans le cas où un individu, qui a commencé par être normal, présente des caractères pathologiques à la suite d'un amour malheureux. On pourra, avec certitude, démontrer que le mécanisme de la maladie consiste en un retour de la libido aux personnes aimées pendant l'enfance.

Effets lointains du choix d'objet infantile. ―
Celui qui a évité une fixation incestueuse de sa libido
n'est pas, par cela même, libéré de l'influence de
celle-ci. C'est, sans aucun doute, un retentissement
de la phase initiale qui porte un jeune homme à
choisir, pour ses premières amours sérieuses, une
femme d'âge mûr, et une jeune fille à aimer un
homme âgé, jouissant d'une certaine considération ;
ces personnes font revivre en eux l'image de la mère
ou celle du père [84]. On peut admettre que le choix de
l'objet, en général, se fait en s'étayant d'une façon
plus libre sur ces deux modèles. Avant tout, l'homme
recherche l'image de sa mère, image qui l'a dominé
depuis l'enfance ; ce fait s'accorde assez bien avec
l'autre fait que la mère encore vivante s'oppose
vivement à cette nouvelle version d'elle-même, et lui
témoigne de l'hostilité. Si l'on tient ainsi compte de
l'importance qu'ont les rapports des enfants envers
leurs parents pour la détermination du choix ultérieur
de l'objet sexuel, on comprend sans difficulté que
tout ce qui trouble ces rapports chez l'enfant aura les
suites les plus graves pour la vie sexuelle adulte.
Ainsi, la jalousie des amants a sans doute ses racines
dans les expériences de l'enfance, ou du moins elle
est renforcée par elles. Les querelles des parents
entre eux, un mariage malheureux entraînent comme
suite de lourdes prédispositions à des troubles du
développement sexuel ou à des névroses chez leurs
enfants.

L'affection de l'enfant pour ses parents laisse les
impressions les plus profondes peut-être, qui, renou-

velées pendant la puberté, commanderont la direction
du choix de l'objet ; mais ce n'est pas le seul facteur
dont il faille tenir compte. D'autres directions, qui
ont une origine aussi lointaine, permettent à l'adulte,
en s'inspirant des expériences faites pendant l'enfance, de développer plusieurs *séries sexuelles*, c'est-
à-dire de réaliser les conditions les plus différentes
dans la détermination du choix de l'objet [85].

PRÉVENTION DE L'INVERSION. — Un des buts évidents
du choix consiste à se porter sur un objet appartenant
au sexe opposé. Le problème, on le sait, ne se résout
qu'après certains tâtonnements. Lorsque la puberté
est éveillée, l'homme s'égare souvent dans ses premiers mouvements, sans que ces égarements entraînent un mal durable. Dessoir a fait justement
remarquer avec quelle régularité les mêmes caractères se retrouvent toujours dans les amitiés enthou-
siastes ou romanesques des adolescents pour leurs
amis du même sexe. La force qui interdit à l'inversion
de se prolonger est, avant tout, l'attraction que les
caractères des sexes opposés exercent l'un sur l'autre.
Nous ne pouvons ici, dans le cadre de ce travail,
essayer une explication de ce phénomène [86]. Mais ce
facteur à lui seul ne suffirait pas à écarter l'inversion.
Des éléments secondaires s'ajoutent, qui agissent
dans le même sens. Il faut mentionner, en premier
lieu, l'influence inhibante qu'exerce la société ; là où
l'inversion n'est pas considérée comme un crime, on
peut constater qu'elle correspond au désir sexuel de
nombreux individus. On peut également supposer
que, chez l'homme, les souvenirs de son enfance,

pendant laquelle il fut livré aux tendresses de sa mère
ou d'autres femmes de son entourage, contribuent de
façon décisive à diriger le choix sur la femme [tandis
que l'intimidation sexuelle exercée de bonne heure
par le père à l'égard de l'enfant, la position de rival
prise envers lui, détournent le jeune garçon de son
propre sexe. Ajoutons, toutefois, que ces deux
facteurs agissent chez la jeune fille dont l'activité
sexuelle se développe sous la tutelle particulière de la
mère. Ainsi s'établit une attitude hostile de sa part à
l'égard de son propre sexe, qui exerce une influence
décisive lors du choix de l'objet, dans le cas
considéré comme normal] *(modifié en 1915)*. L'éducation des garçons par des personnes du sexe masculin (les esclaves dans l'Antiquité) paraît avoir
favorisé le développement de l'homosexualité ; la
fréquence de l'inversion dans la noblesse d'aujour-
d'hui s'explique mieux lorsque l'on tient compte du
fait que, dans les familles nobles, on emploie surtout
des domestiques mâles, et que les mères s'adonnent
moins complètement aux soins de leurs enfants. Dans
certains cas d'hystérie, on remarque que les conditions qui ont déterminé le choix de l'objet sexuel, et
ainsi ont fixé une inversion permanente, trouvent leur
origine dans le fait qu'un des parents est prématurément disparu (qu'il soit mort, qu'il ait divorcé d'avec
son conjoint, ou qu'il se soit aliéné l'affection de
l'enfant), en sorte que tout l'amour de l'enfant s'est
reporté sur la personne qui lui est demeurée.

*Résumé*

Le moment nous semble venu d'esquisser un tableau d'ensemble. Nous sommes partis des déviations de la pulsion sexuelle relatives à son objet et à son but, et nous nous sommes posé la question : ces déviations proviennent-elles d'une disposition innée, ou sont-elles acquises ? Ce qui nous a permis de répondre, ce sont les renseignements que nous avions tirés de l'attitude sexuelle observée chez des personnes atteintes de psychonévrose, qui forment un groupe nombreux et de caractère assez proche des individus normaux. Nous avons obtenu ces renseignements par la méthode psychanalytique. Nous avons ainsi constaté que, chez les individus de cette catégorie, on peut retrouver les dispositions communes à toutes les perversions, sous la forme de forces inconscientes, déterminant toute une série de symptômes. C'est ainsi que nous avons pu dire que la névrose est le négatif de la perversion. Ayant ainsi reconnu combien les dispositions à la perversion étaient répandues, nous nous sommes vus forcés d'admettre que la disposition à la perversion est bien la

disposition générale, originelle, de la pulsion
sexuelle, laquelle ne devient normale qu'en raison de
modifications organiques et d'inhibitions psychiques
survenues au cours de son développement. Nous
conçûmes alors l'espoir de retrouver la disposition
originelle chez l'enfant. Parmi les forces limitant la
direction de la pulsion sexuelle nous avons mentionné
avant tout la pudeur, le dégoût, la pitié, et les
représentations collectives de la morale imposées par
la société. Ainsi chaque déviation de la vie sexuelle
nous apparaissait, dès le moment où elle s'est fixée,
comme résultant d'une inhibition de développement,
comme une marque d'infantilisme. Nous avons
insisté sur l'influence prépondérante des variations
dans les dispositions originelles, tout en admettant
qu'entre elles et les influences de la vie, il n'y a pas
opposition, mais bien coopération. D'autre part, étant
admis que la disposition originelle a un caractère de
complexité, la pulsion sexuelle en elle-même nous
apparaissait comme un ensemble qui, dans le cas des
perversions, se dissocie. De sorte que les perversions
peuvent se présenter, soit comme le résultat d'inhibitions, soit comme l'effet d'une dissociation au cours
d'un développement normal. Ces deux conceptions se
rejoignant dans l'hypothèse que la pulsion sexuelle
des adultes se forme par l'intégration des multiples
mouvements et poussées de la vie infantile, de
manière à former une unité, une tendance dirigée
vers un seul et unique but.

Nous expliquions encore la prépondérance des
dispositions perverses dans les cas de psychonévro-

ses, en reconnaissant que la maladie était due au détournement, par l'effet du « refoulement », du courant principal vers des voies collatérales. Nous avons ensuite analysé la vie sexuelle pendant l'enfance[87] ; nous avons déploré que l'on ait voulu ignorer la pulsion sexuelle de l'enfance et que l'on ait décrit les manifestations sexuelles, si fréquentes à cet âge, comme des phénomènes anormaux. Il nous apparut, au contraire, que l'enfant apporte, en venant au monde, des germes de vie sexuelle et que, lors de l'allaitement, il éprouve une satisfaction d'ordre sexuel, qu'ensuite il cherchera à retrouver dans l'acte bien connu de la « succion ». Cette activité sexuelle de l'enfant ne se développerait pas de la même manière que les autres fonctions, mais après une courte période d'épanouissement, qui va de la deuxième à la cinquième année, elle entrerait dans une période de latence. Durant cette époque, disons-nous, la production d'excitation sexuelle n'est pas interrompue ; elle se poursuit et fournit une réserve d'énergie qui est, en grande partie, détournée vers des buts autres que sexuels ; c'est-à-dire qu'elle contribue à la formation des sentiments sociaux, et, d'autre part, au moyen du refoulement et des formations réactionnelles, elle crée des barrières sexuelles qui serviront plus tard. La conclusion qui semblait s'imposer était que ces forces destinées à maintenir la pulsion sexuelle dans certaines directions se développent pendant l'enfance aux dépens de mouvements sexuels qui ont, pour la plupart, un caractère de perversité, en même temps qu'elles se forment avec l'appui de l'éducation. Une part des mouvements sexuels de l'enfant, échappant à la transformation, peut s'extérioriser dans une activité sexuelle. Ainsi, il semble que l'excitation sexuelle de l'enfant dérive de sources diverses : avant tout, des zones érogènes qui produisent une satisfaction dès qu'elles sont excitées d'une manière appropriée. Selon toute probabilité, peuvent faire fonction de zones érogènes toutes les régions de l'épiderme, tout organe sensoriel [et probablement tout organe quelconque] *(ajouté en 1915)*, mais il existe certaines zones privilégiées dont l'excitabilité est assurée, dès le début, par certains dispositifs organiques. D'autre part, l'excitation sexuelle se produit, pour ainsi dire, comme produit marginal d'un certain nombre de processus internes, pourvu que ceux-ci aient atteint un degré suffisant d'intensité, surtout quand il s'agit d'émotions fortes, même si celles-ci sont de nature pénible. Les excitations provenant de toutes ces sources ne se coordonnent pas encore en un tout, mais poursuivent chacune un but séparé qui ne représente que le gain d'un plaisir particulier. Ceci nous amène à penser que la pulsion sexuelle pendant l'enfance [n']est [*pas encore centrée,* qu'elle est d'abord] *(ajouté en 1920)* sans objet, c'est-à-dire *auto-érotique.*

Déjà, chez l'enfant, l'exigence de la zone érogène localisée à l'appareil génital commence à se manifester, soit que, comme toute autre zone érogène, elle réagisse aux excitations appropriées en procurant une satisfaction, soit que, par un mécanisme encore peu compréhensible, une satisfaction provenant d'autres sources produise en même temps une excitation sexuelle qui retentira d'une façon particulière sur la zone génitale. Nous avons dû avouer, à notre regret, qu'il ne nous était pas possible de donner une explication satisfaisante des rapports existant entre l'excitation sexuelle et la satisfaction sexuelle, comme des rapports à établir entre l'activité de la zone génitale et celle des autres sources de la sexualité.

[En étudiant les troubles névrotiques, nous avons aperçu que, dans la vie sexuelle de l'enfance, existe, dès le début, un commencement d'organisation entre les composantes pulsionnelles sexuelles. Dans une première phase, qui se place très tôt, l'érotisme *oral* est prépondérant ; une deuxième organisation « prégénitale » est caractérisée par la prédominance du *sadisme* et de l'érotisme *anal* ; c'est seulement dans la troisième phase [qui chez l'enfant ne se développe que jusqu'au primat du phallus] *(ajouté en 1924)* que la vie sexuelle est déterminée par la contribution qu'apportent les zones génitales proprement dites.

Nous avons dû constater ensuite, à notre grande surprise, que cette première vie sexuelle infantile (de deux à cinq ans) mène au choix d'un objet ; elle est accompagnée d'activités psychiques les plus variées, de sorte que cette phase, malgré le défaut de coordination des composantes pulsionnelles, et en dépit de l'incertitude du but sexuel, peut être considérée comme un important précurseur de l'organisation sexuelle définitive.

L'*instauration diphasée* du développement sexuel humain, autrement dit l'interruption de ce développement par la période de latence, nous a paru digne d'une attention particulière. En effet, c'est là une des conditions qui permettent à l'homme le développement vers une civilisation plus élevée ; nous y trouvons aussi l'explication des prédispositions aux névroses. Chez les animaux apparentés à l'homme, nous ne connaissons rien d'analogue. Pour retrouver les origines de cette particularité dans le développement humain, il faudrait remonter à la préhistoire] *(ajouté en 1920).*

Nous ne saurions dire quel est le degré d'activité sexuelle pendant l'enfance devant être considéré comme normal et n'entravant pas le développement ultérieur. Nous avons montré que les manifestations sexuelles infantiles présentaient surtout un caractère masturbatoire. Nous avons ensuite constaté, en nous appuyant sur l'expérience, que les influences extérieures de la séduction pouvaient produire des interruptions prématurées de la période de latence et même la supprimer, et que la pulsion sexuelle de l'enfant se révélait alors perverse polymorphe. Enfin, nous avons vu que toute activité sexuelle prématurée, produite de cette manière, rendait l'éducation de l'enfant plus difficile.

Bien que nos connaissances sur la vie sexuelle infantile présentent de grosses lacunes, nous avons tenté d'analyser les changements amenés par la puberté. Au nombre de ces changements, nous avons considéré comme particulièrement importants : la subordination de toutes les excitations sexuelles, quelle que soit leur origine, au primat des zones génitales ; ensuite, le processus par lequel est trouvé l'objet. Ces deux phénomènes sont préfigurés dès l'enfance. La subordination des excitations sexuelles s'opère par un mécanisme qui utilise le plaisir préliminaire de telle manière que les actes sexuels, jusque-là indépendants les uns des autres, deviennent préparatoires à l'acte sexuel nouveau — l'émission des produits génitaux — dans lequel le plaisir atteint son point culminant et l'excitation sexuelle prend fin. Nous avions à tenir compte, dans notre analyse, de la différenciation de l'être sexuel devenant respectivement homme et femme, et nous avons trouvé que, pour produire la femme, un refoulement nouveau est nécessaire en vertu duquel une partie de la virilité infantile de la femme disparaît, la préparant à substituer une zone génitale directrice à une autre. Enfin, nous avons constaté que le choix de l'objet était indiqué par des ébauches esquissées pendant l'enfance et reprises lors de la puberté, c'est-à-dire les affections de l'enfant pour ses parents et les personnes de son entourage ; d'autre part, le choix, en vertu de la barrière opposée entre-temps à l'inceste, se détourne de ces personnes et se reporte sur d'autres qui leur ressemblent. Ajoutons encore, pour terminer, que pendant la période transitoire de puberté, les processus de développement physique et psychique s'accomplissent d'abord sans lien entre eux, jusqu'au moment où l'irruption d'un mouvement amoureux intense, de caractère psychique, retentissant sur l'innervation des parties génitales, l'unité caractéristique de la vie amoureuse normale est enfin réalisée.

Facteurs pouvant amener des troubles dans le développement. — Chaque étape de cette longue évolution peut devenir un point de fixation ; chaque assemblage de cette combinaison compliquée peut donner lieu à une dissociation de la pulsion sexuelle, ainsi que plusieurs exemples nous l'ont déjà démontré. Il nous reste à énumérer les divers facteurs internes ou externes capables de troubler le développement et à dire sur quelle partie du mécanisme ils agissent. Remarquons toutefois que, dans une telle énumération, les facteurs ne seront pas tous d'une égale importance, et qu'il sera malaisé de les apprécier à leur juste valeur.

Constitution et hérédité. — Il faut citer ici, en premier lieu, les *différences* congénitales *des constitutions sexuelles,* probablement d'une importance décisive, mais dont les caractères ne peuvent être saisis que par déduction en partant des manifestations ultérieures, et encore sans que nous puissions arriver à une certitude absolue. Nous croyons que ces différences consistent en une prépondérance de telle ou telle source de l'excitation sexuelle, et nous supposons qu'elles doivent en tout cas se manifester dans l'activité résultante finale, même si celle-ci se trouve contenue dans les limites du normal. Ceci ne veut évidemment pas dire qu'on ne puisse imaginer des variations dans la disposition originelle qui, nécessairement, et sans l'intervention d'autres facteurs, créent une vie sexuelle anormale. On désignera ces variations sous le nom de « dégénérescences », et on pourra y voir les symptômes d'une détérioration héréditaire. Je rapporterai, à ce sujet, une curieuse observation. Chez plus de la moitié des malades que j'ai traités pour hystérie grave, névrose obsessionnelle, etc., j'ai constaté une syphilis du père reconnue et soignée antérieurement au mariage, soit que le père ait été tabétique ou paralytique général, soit qu'on ait pu retrouver la syphilis par l'anamnèse. J'insiste particulièrement sur ce fait que les enfants névrosés n'avaient aucun stigmate de syphilis, de sorte que l'anomalie dans le caractère sexuel devait être considérée comme un dernier aboutissant d'une hérédité syphilitique. Et sans vouloir dire que la descendance de parents syphilitiques est la condition étiologique régulière et nécessaire d'une constitution névropathique, je crois que les coïncidences observées ne sont pas le fait du hasard, et qu'on doit leur laisser leur importance.

En ce qui touche les cas de perversions positives, les conditions héréditaires sont moins bien connues, car elles se dérobent à nos moyens d'investigation. Pourtant, on a des raisons de supposer qu'il y a analogie entre les névroses et les cas de perversions. On rencontre, en effet, assez souvent dans la même famille, des cas de perversions et des psychonévroses réparties entre les deux sexes de la manière suivante : les hommes, ou au moins l'un d'eux, atteints de perversion positive, tandis que les femmes, par suite de la tendance au refoulement propre à leur

sexe, présentent une perversion négative, soit l'hystérie. Cela est une preuve de plus des rapports
essentiels que nous avons constatés entre ces deux
sortes de troubles morbides.

Élaboration ultérieure. — Il serait toutefois
erroné de croire que le jeu des diverses composantes
de la constitution sexuelle déterminera à lui seul la
forme que prendra la sexualité. Elle reste conditionnée par l'extérieur, et des possibilités ultérieures sont
données, selon le sort que subissent les afflux sexuels
provenant des différentes sources. C'est *l'élaboration
ultérieure* qui constitue l'élément décisif ; et la même
constitution peut conduire à trois formes de développement possibles.

1) Si toutes les dispositions conservent entre elles
leur rapport (que nous avons défini comme anormal)
et se renforcent par la maturité, le seul résultat possible est une vie sexuelle perverse. L'analyse de pa-
reilles anomalies constitutionnelles n'a jamais encore
été poussée à fond ; et pourtant nous connaissons
déjà des cas qui peuvent être expliqués facilement
par cette seule hypothèse. Aussi, certains auteurs
estiment-ils que toute une série de perversions
par fixation supposent nécessairement une faiblesse
congénitale de la pulsion sexuelle. Sous cette forme,
la thèse ne me paraît pas soutenable ; mais elle est
féconde du moment que le terme de « faiblesse
constitutionnelle » est appliqué à l'un des facteurs
constitutionnels de la pulsion sexuelle, la zone
génitale, à laquelle doit incomber plus tard la
fonction de coordonner dans un but de procréation

ces manifestations sexuelles jusqu'alors isolées. En effet, dans ce cas, l'intégration qui devait se faire au moment de la puberté ne peut réussir ; et ce sera la plus forte des autres composantes sexuelles qui prévaudra sous la forme de perversion[88].

REFOULEMENT. — 2) On arrive à un résultat entièrement différent si, au cours du développement, certaines composantes sexuelles, que nous supposerons excessives, subissent un *refoulement* qui, ne l'oublions jamais, n'équivaut pas à une disparition. Les excitations sont produites de la même manière qu'auparavant, mais sont détournées de leur but par une inhibition psychique, et sont dirigées sur d'autres voies jusqu'au moment où elles s'extérioriseront sous la forme de symptômes morbides. Il peut en résulter une vie sexuelle normale, la plupart du temps diminuée, il est vrai, et ayant des psychonévroses pour complément. Ce sont précisément des cas qui nous sont bien connus par les observations psychanalytiques que nous avons faites sur des névrosés. La vie sexuelle a commencé comme celle des pervers ; toute une partie de leur enfance a été remplie par une activité sexuelle perverse qui, parfois même, s'est étendue bien au-delà de la puberté ; ensuite, pour des raisons intérieures, en général avant la puberté, mais parfois aussi après, s'opère une transformation par suite de refoulement ; et dès lors, sans que les anciennes tendances disparaissent, la névrose se substitue à la perversion. Cela nous rappelle l'adage : jeune catin, vieille dévote. Mais, dans le cas présent, la jeunesse a été bien courte ! Cette substitution de la névrose à la perversion dans la vie de l'individu, la répartition de cas de perversions et de névroses dans une même famille, tout cela doit être rapporté au fait que la névrose constitue le négatif de la perversion.

SUBLIMATION. — 3) Il peut y avoir une troisième issue, dans le cas d'une constitution anormale, par le processus de la *sublimation*. Les excitations excessives découlant des différentes sources de la sexualité trouvent une dérivation et une utilisation dans d'autres domaines, de sorte que les dispositions dangereuses au début produiront une augmentation appréciable dans les aptitudes et activités psychiques. C'est là une des sources de la production artistique, et l'analyse du caractère d'individus curieusement doués en tant qu'artistes indiquera des rapports variables entre la création, la perversion et la névrose, selon que la sublimation aura été complète ou incomplète. Il semble bien que la répression par *formation réactionnelle* — qui, comme nous l'avons vu, commence à se faire sentir dès la période de latence pour continuer pendant toute la vie si les conditions sont favorables — doive être considérée comme une espèce de sublimation. Ce que nous nommons « caractère » est en grande partie construit avec un matériel d'excitations sexuelles, et se compose de pulsions fixées depuis l'enfance, de constructions acquises par la sublimation, et d'autres constructions destinées à réprimer les mouvements pervers qui ont été reconnus non utilisables [89]. Il est ainsi permis de dire que la disposition sexuelle de l'enfant crée, par formation réactionnelle, un grand nombre de nos vertus [90].

EXPÉRIENCES ACCIDENTELLES. — En regard des processus que nous avons énumérés : poussées sexuelles, refoulements et sublimations (les deux derniers nous étant complètement inconnus quant à leur mécanisme intérieur), toutes les autres influences sont d'une importance secondaire. Si l'on considère les refoulements et sublimations comme une part des dispositions constitutionnelles de l'individu, comme en étant les manifestations mêmes, on peut dire que la forme définitive prise par la vie sexuelle est, avant tout, le résultat d'une constitution congénitale. Mais on ne peut contester que, tout en admettant la coopération des différents facteurs, il faut néanmoins faire une place à certaines influences provenant d'expériences fortuites soit pendant l'enfance, soit à un âge plus avancé. [Il n'est pas facile d'évaluer l'importance relative des facteurs constitutionnels et des facteurs accidentels. Du point de vue théorique, on sera toujours porté à surestimer les premiers, tandis que dans la pratique thérapeutique l'importance des seconds prévaudra. Quoi qu'il en soit, on ne devra pas oublier qu'entre les deux séries de facteurs, il y a coopération et non exclusion. Le facteur constitutionnel a besoin, pour être mis en valeur, d'expériences vécues ; le facteur accidentel ne peut agir qu'appuyé sur une constitution. Dans la plupart des cas, on peut imaginer une « série complémentaire », où les intensités décroissantes de l'un des facteurs sont compensées par les intensités croissantes de l'autre ; ce qui, toutefois, ne peut servir de prétexte pour nier l'existence de cas extrêmes aux deux bouts de la série.

Dans le domaine des facteurs accidentels, la psychanalyse accorde une place prépondérante aux expériences de la première enfance. La série étiologique se diviserait en deux, dont l'une serait la série des *prédispositions,* et l'autre la série *définitive.* Dans la première de ces séries, il y aurait action connexe de la constitution et des expériences réalisées dans l'enfance ; de même que, dans la seconde série, se combinerait l'action des prédispositions et des expériences ultérieures traumatisantes. Toutes les circonstances défavorables au développement sexuel ont pour effet de produire une *régression,* c'est-à-dire un retour à une phase antérieure de développement] *(ajouté en 1915).*

Revenons à l'énumération des facteurs exerçant une influence sur le développement sexuel.

PRÉCOCITÉ. — Parmi les facteurs importants, mentionnons la *précocité* sexuelle spontanée, qui se retrouve invariablement dans l'étiologie des névroses, bien qu'elle ne puisse être, à elle seule (pas plus que tout autre facteur), la cause suffisante du processus morbide. Elle se manifeste par une interruption, une abréviation ou une suppression de la période de latence infantile, et occasionne des troubles en provoquant des manifestations sexuelles qui ont nécessairement le caractère de perversion — étant donné le faible développement des inhibitions sexuelles d'une part, et, d'autre part, l'état encore rudimentaire du système génital. Ces dispositions à la perversion peuvent se maintenir telles, ou pourront, après un refoulement préalable, prédisposer à des névroses.

En tous les cas, la précocité sexuelle aura pour effet de rendre plus difficile la domination désirable de la pulsion sexuelle par les instances psychiques supérieures, à un âge plus avancé ; elle augmentera encore le caractère inhérent aux manifestations psychiques de la pulsion sexuelle. La précocité sexuelle va souvent de pair avec la précocité intellectuelle, et comme telle se retrouve dans l'enfance des individus les plus éminents. Dans ce cas, elle ne paraît pas être pathogène au même degré que lorsqu'elle est isolée.

[LE FACTEUR TEMPS. — Au même titre que la précocité, le facteur *temps* réclame une attention toute particulière. La phylogénèse a pu fixer l'ordre dans lequel les différentes pulsions entrent en activité, et déterminer la durée de leur manifestation avant qu'elles ne disparaissent sous l'influence d'une pulsion nouvelle, ou par suite d'un refoulement caractérisé. Pourtant, dans la succession aussi bien que dans la durée de ces pulsions, il semble bien qu'il y ait des variations qui peuvent être, quant au résultat final, d'une importance décisive. Il n'est pas indifférent qu'un courant surgisse plus tôt ou plus tard que le courant contraire, car l'effet d'un refoulement ne peut être annulé. Si l'ordre d'apparition des composantes de la pulsion sexuelle varie, le résultat en sera changé. D'autre part, la disparition de certaines pulsions qui parviennent au premier plan peut être d'une rapidité surprenante. Par exemple, les rapports hétérosexuels des futurs homosexuels avérés. Les tendances de l'enfant, quel que soit le caractère violent de leur irruption, ne justifient pas la crainte qu'elles dominent le caractère de l'adulte de manière durable. On peut aussi bien s'attendre à ce qu'elles disparaissent pour faire place à la tendance contraire (les despotes ne règnent pas longtemps)] *(ajouté en 1915)*. Les raisons qui motivent les perturbations d'ordre temporel, dans le processus de développement, nous échappent complètement. Nous ne faisons qu'entrevoir au loin un groupe de problèmes biologiques, et peut-être aussi historiques, dont nous n'approchons pas encore assez pour pouvoir les attaquer.

PERSÉVÉRATION. — L'importance de toutes les manifestations sexuelles précoces s'augmente par le fait d'un facteur psychique dont l'origine ne nous est pas connue, et dont nous ne pouvons faire état que d'une manière toute provisoire. Il s'agit de la *persévération* ou *capacité de fixation* des impressions de la vie sexuelle, caractère que l'on retrouve chez de futurs névrosés ou chez des pervers, dont il faut tenir compte dans le tableau clinique. En effet, les mêmes manifestations sexuelles précoces n'exercent pas, sur d'autres sujets, une influence assez profonde pour les forcer à la répétition compulsive et imprimer ainsi pour la vie une direction à leur pulsion sexuelle. Peut-être une des raisons qui nous expliquent le caractère de cette persévération se trouve-t-elle dans un fait psychologique sans lequel on ne saurait préciser l'étiologie des névroses, nous voulons dire la prépondérance des vestiges laissés dans le souvenir sur les impressions plus récentes. Ce fait psychologique dépend certainement du degré de développement intellectuel, et gagne en importance à mesure que l'individu est plus cultivé. On a dit, en parlant des sauvages, qu'ils étaient « les malheureux enfants du moment » [91]. Étant donné le rapport antagoniste qu'il y a entre la civilisation et le libre développement de la sexualité, rapport dont on peut suivre les effets longtemps après dans la forme que prendra notre vie, il est de la plus grande importance, dans les civilisations avancées, de savoir comment s'est développée la vie sexuelle de l'enfant, tandis que, dans les civilisations inférieures, ce développement présente peu d'intérêt.

FIXATION. — L'influence favorable qu'exercent les facteurs psychiques que nous venons d'énumérer est renforcée par les incitations accidentelles pendant le temps de la sexualité infantile. Celles-ci (en premier lieu la séduction par d'autres enfants ou par des adultes) créent des états sexuels qui, avec l'aide des éléments psychiques plus haut mentionnés, peuvent se fixer et devenir par là même pathologiques. Une bonne part des déviations sexuelles qu'on peut remarquer chez l'adulte névrosé ou pervers est due à des impressions subies pendant l'enfance soi-disant asexuelle. Au nombre des causes il faut donc compter la constitution, la précocité, un accroissement de la persévération, et enfin les excitations fortuites de la pulsion sexuelle par des influences extérieures.

En terminant notre livre, nous devons avouer, à notre regret, que nos recherches sur les troubles de la vie sexuelle indiquent bien l'insuffisance de nos connaissances quant aux processus biologiques qui en constituent l'essence ; nous ne pouvons donc former, avec nos aperçus isolés, une théorie capable d'expliquer suffisamment les caractères normaux et pathologiques de la sexualité.

# NOTES

## Préface

1. Voir S. Nachmansohn. *Théorie de la Libido de Freud comparée à la théorie de l'Éros dans Platon. Internationale Zeitschrift für Psychoanalyse*, III, 1915.

## Premier essai

2. Les indications contenues dans la première partie de ce traité s'appuient sur les écrits bien connus de Krafft-Ebing, Moll, Moebius, Havelock Ellis, V. Schrenck-Notzing, Lœwenfeld, Eulenburg, I. Bloch, M. Hirschfeld, et des articles publiés par ce dernier dans le *Jahrbuch für sexuelle Zwischenstufen* édité par lui. On trouvera la bibliographie de notre sujet dans les écrits que nous venons de mentionner, c'est pourquoi il nous a paru inutile de l'indiquer d'une façon plus détaillée.

[Les résultats acquis par l'observation psychanalytique des invertis reposent sur des communications faites par M. Sadger et sur mon expérience personnelle] *(ajouté en 1910).*

3. [Le seul terme approprié : « plaisir » (en allemand : *Lust*) est malheureusement équivoque en ce qu'il désigne aussi bien la sensation que la satisfaction du besoin] *(ajouté en 1910).*

4. Au sujet des difficultés que nous venons de mentionner et des différentes tentatives faites pour établir la proportion entre les invertis et les normaux, voir l'article de T. Hirschfeld dans le *Jahrbuch für sexuelle Zwischenstufen* (1904).

5. Cette résistance à l'inversion pourrait fournir les conditions favorables au traitement par la suggestion ou par la psychanalyse.

6. Plusieurs auteurs ont dit, à bon droit, qu'on ne pouvait se fier aux indications autobiographiques des invertis relatives au moment où la tendance à l'inversion s'est manifestée, car il est toujours possible que les invertis aient refoulé de leur mémoire des faits qui parleraient en faveur de leur attitude hétérosexuelle. [La psychanalyse a prouvé que ce soupçon était fondé, du moins pour les cas qu'elle a pu débrouiller, et elle a modifié de façon décisive leur anamnèse en remplissant les lacunes dues à l'amnésie infantile] *(modifié en 1910)*.

7. Pour montrer quelles précautions il faut prendre quand on établit le diagnostic d'une dégénérescence, et combien peu d'importance il a dans la pratique, nous citerons le passage suivant de Moebius (*Ueber Entartung, Grenzfragen des Nerven und Seelenlebens*, 3.1900) : « Si on jette un coup d'œil d'ensemble sur le vaste domaine des phénomènes qu'on est convenu d'appeler dégénérescences, que nous avons tout au plus éclairé ici de quelques lueurs, on verra le peu de valeur qu'il faut attacher à un diagnostic de dégénérescence. »

8. On doit concéder aux avocats de « l'uranisme » que certains des hommes les plus éminents ont été des invertis et peut-être même des invertis complets.

9. On a distingué, dans la conception de l'inversion, entre le point de vue pathologique et le point de vue anthropologique. C'est I. Bloch (*Beiträge zur Aetiologie der Psychopathia sexualis*, 1902-1903) qui a établi cette distinction. C'est lui aussi qui a montré toute l'importance de l'inversion chez les peuples civilisés de l'Antiquité.

10. Voir les dernières descriptions détaillées de l'hermaphrodisme somatique : Taruffi, *Hermaphrodisme et Impuissance*, et les écrits de Neugebauer dans plusieurs volumes du *Jahrbuch für sexuelle Zwischenstufen*.

11. J. Halban. *Die Entstehung der Geschlechtscharaktere Archiv für Gynäkologie*, tome LXX, 1903. Voir aussi la Bibliographie qui y est citée.

12. Le premier auteur qui, pour expliquer l'inversion, ait fait état de la bisexualité serait (d'après une note contenue dans le sixième volume du *Jahrbuch für sexuelle Zwischenstufen*) E. Gley, et cela dans un article intitulé *Les Aberrations de l'instinct sexuel*, paru dans la *Revue philosophique* du mois de

janvier 1884. Il est d'ailleurs intéressant de constater que la plupart des auteurs qui ramènent l'inversion à la bisexualité insistent sur le rôle joué par la bisexualité non seulement chez les invertis, mais aussi chez ceux qui sont devenus normaux, et considèrent donc l'inversion comme le résultat d'un trouble dans le développement. C'est ainsi que Chevalier (*Inversion sexuelle*, 1893) et Krafft-Ebing (*Zur Erklärung des Konträren Sexualempfindung Jahrbücher für Psychiatrie und Neurologie*, tome XIII) rapportent qu'une foule d'observations ont prouvé que « l'autre centre (le centre du sexe supplanté) continue à exister du moins virtuellement ». Le D$^r$ Arduin (*Die Frauenfrage und die sexuellen Zwischenstufen, Jahrbuch für sexuelle Zwischenstufen*, tome II, 1900) prétend que : « Dans tout être humain il y a des éléments masculins et féminins qui sont développés en raison inverse du sexe de l'individu, lorsqu'il s'agit d'hétérosexuels... » (Voir aussi M. Hirschfeld : *Die objektive Diagnose der Homosexualität, Jahrbuch für sexuelle Zwischenstufen*, tome I$^{er}$, 1899, pages 8 et suiv.). G. Herman (*Genesis, das Gesetz der Zeugung*, tome IX, *Libido und Mania*, 1903) affirme que « chaque femme a en elle des germes et des caractères masculins, et inversement, chaque homme a des germes et des caractères féminins ».

[En 1906, W. Fliess (*Der Ablauf des Lebens*) a revendiqué la paternité de l'idée de bisexualité en tant qu'applicable à tous les individus] *(ajouté en 1910)*. [Parmi les non-spécialistes, on considère que la notion de bisexualité humaine a été établie par O. Weininger, philosophe mort jeune qui a écrit un livre assez irréfléchi sur la base de cette idée (*Geschlecht und Charakter*, 1903). Ce qui précède prouve assez qu'une telle attribution n'est pas fondée] *(ajouté en 1924)*.

13. [Si la psychanalyse, jusqu'ici, n'a pas pu éclaircir complètement les origines de l'inversion, elle a du moins pu découvrir le mécanisme psychique de sa genèse, et présenter la question sous de nouveaux aspects. Dans tous les cas observés, nous avons pu constater que ceux qui seront plus tard des invertis passent pendant les premières années de l'enfance par une phase de courte durée où la pulsion sexuelle se fixe d'une façon intense sur la femme (la plupart du temps sur la mère) et qu'après avoir dépassé ce stade, ils s'identifient à la femme et deviennent leur propre objet sexuel, c'est-à-dire que, partant du narcissisme, ils recherchent des adolescents qui leur ressemblent et qu'ils veulent aimer comme leur mère les a aimés eux-mêmes. Nous avons aussi

constaté fréquemment que de soi-disant invertis n'étaient nullement insensibles au charme de la femme, mais qu'ils transfé-
raient l'excitation produite par l'autre sexe sur un objet mâle. Ils
ne faisaient ainsi que répéter toute leur vie le mécanisme qui était
à l'origine de leur inversion. La compulsion qui les poussait vers
l'homme était conditionnée par une fuite constante devant la
femme] *(ajouté en 1910)*.

[La psychanalyse se refuse absolument à admettre que les
homosexuels constituent un groupe ayant des caractères particuliers, que l'on pourrait séparer de ceux des autres individus. En
étudiant d'autres excitations que celles proprement sexuelles,
elle a pu établir que tous les individus, quels qu'ils soient, sont
capables de choisir un objet du même sexe, et qu'ils ont tous fait
ce choix dans leur inconscient. On peut même affirmer que les
sentiments érotiques qui s'attachent à des personnes du même
sexe jouent dans la vie psychique normale un rôle aussi important
que les sentiments qui s'attachent à l'autre sexe, et que leur
valeur dans l'étiologie des états morbides est bien plus grande
encore. Pour la psychanalyse, le choix de l'objet, indépendamment du sexe de l'objet, l'attachement égal à des objets masculins
et féminins, tels qu'ils se retrouvent dans l'enfance de l'homme
aussi bien que dans celle des peuples, paraît être l'état primitif,
et ce n'est que par des limitations subies tantôt dans un sens,
tantôt dans l'autre, que cet état se développe en sexualité normale
ou en inversion. C'est ainsi que, pour la psychanalyse, l'intérêt
sexuel exclusif de l'homme pour la femme n'est pas une chose qui
va de soi et se réduisant en quelque sorte à une attirance d'ordre
chimique, mais bien un problème qui a besoin d'être éclairci. Ce
n'est qu'après la puberté que l'attitude sexuelle prend une forme
définitive, et la décision qui intervient alors est le résultat d'une
série de facteurs, dus en partie à la constitution de l'individu, en
partie à des causes accidentelles et dont l'ensemble nous échappe
encore. Il est possible, évidemment, que certains de ces facteurs
acquièrent une telle importance qu'ils déterminent le résultat
dans tel ou tel sens. Mais, en général, il faut admettre que la
variété des facteurs déterminants se reflète dans la diversité des
attitudes sexuelles. Dans les cas d'inversion, on constate toujours
la prédominance d'éléments dispositionnels archaïques et de
mécanismes psychiques primitifs. Le *choix d'objet narcissique* et
l'*importance érotique conservée à la zone anale* paraissent être les
caractères les plus essentiels des types d'inversion. Toutefois, il

ne serait d'aucune utilité de se fonder sur des particularités constitutionnelles de ce genre pour séparer les cas d'inversion extrêmes des autres. En effet, les caractères qu'on observe dans les extrêmes peuvent se retrouver aussi, bien qu'à un moindre degré, dans les cas de transition et même chez des individus tout à fait normaux. Les types d'invertis peuvent varier qualitativement, mais l'analyse nous démontre que les différences qui les conditionnent ne varient que quantitativement. Parmi les influences occasionnelles qui déterminent le choix de l'objet sexuel, nous avons constaté tout particulièrement la frustration (c'est-à-dire une intimidation sexuelle prématurée) et notre attention a été attirée sur le fait que la présence des deux parents joue un rôle important. En effet, l'absence d'un père énergique dans l'enfance favorise souvent l'inversion. Enfin, il ne faut établir aucun rapport entre l'inversion à l'égard de l'objet sexuel et la présence de caractères sexuels androgynes dans le sujet, car il n'y a pas de relation constante entre les deux phénomènes] *(modifié en 1915)*.

[Ferenczi, dans un essai intitulé *Zur Nosologie der männlichen Homosexualität (Homoerotik) (Int. Zeitschrift für Psychoanalyse*, II, 1914), a établi, au sujet de la question de l'inversion, une série de points de vue importants. Ferenczi a raison de s'élever contre l'abus qu'on veut faire du terme « homosexualité » (qu'il remplace par le terme plus approprié d' « homoérotisme ») sous lequel on comprend toute une série d'états qui, tant au point de vue organique qu'au point de vue psychique, ont une valeur très différente, mais ont tous en commun le caractère d'inversion. Il demande qu'on distingue au moins deux types : d'une part l'*homoérotique subjectif*, qui se sent femme et se comporte comme telle, et, d'autre part, l'*homoérotique objectif*, qui présente tous les caractères du mâle, et n'a fait qu'échanger l'objet féminin contre un objet de son sexe. Il voit, dans le premier, un véritable « état intersexuel », dans le sens où l'entend Magnus Hirschfeld ; faisant usage d'un terme qui nous paraît moins heureux, il considère le second comme un malade atteint de névrose obsessionnelle. Il ajoute que, seul, le type homoérotique objectif oppose de la résistance aux tendances de l'inversion, et a quelque chance de réagir à un traitement psychique. Mais tout en reconnaissant que ces deux types existent réellement, il est permis d'ajouter que chez bon nombre de personnes un certain degré d'homoérotisme subjectif se trouve mêlé à une part d'homoérotisme objectif.

Ces derniers temps, des travaux biologiques, et en première ligne ceux de Eugen Steinach, ont fait la lumière sur les conditions organiques de l'homoérotisme ainsi que sur les caractères secondaires sexuels en général.

En procédant par expérience, au moyen d'une castration suivie d'une greffe des glandes de l'autre sexe, on a réussi chez différentes espèces de mammifères à transformer des mâles en femelles et inversement. La transformation ainsi opérée se faisait sentir plus ou moins complètement dans les caractères sexuels somatiques et dans l'attitude psychosexuelle (érotisme subjectif et objectif). L'agent déterminant cette transformation sexuelle ne serait pas la partie de la glande qui forme les cellules génitales mais bien la glande qui forme le tissu interstitiel de l'organe (la « glande de puberté »).

Dans un cas, on a réussi à produire une transformation sexuelle chez un homme atteint de tuberculose des testicules. Il s'était, jusque-là, comporté en homosexuel passif, en femme, et on avait retrouvé chez lui des caractères féminins secondaires prononcés (surcharge graisseuse aux mamelons et aux hanches, etc.). Après qu'on lui eut greffé un testicule cryptique, il se comporta en mâle et commença à diriger sa libido de façon normale vers la femme. En même temps, disparurent les caractères féminins somatiques. (A. Lipschütz. *Die Pubertäts-drüse und ihre Wirkungen*, Berne, 1919.)

Il serait toutefois injustifié d'attendre de ces expériences intéressantes un nouveau fondement à la doctrine de l'inversion, et il serait prématuré de croire qu'elles puissent indiquer une voie nouvelle pour arriver à la « guérison » de l'homosexualité en général. Fliess a raison de dire que ces expériences n'invalident pas la doctrine établissant une disposition générale à la bisexualité chez les animaux supérieurs. Il nous paraît plutôt vraisemblable qu'en poursuivant des expériences de ce genre on arriverait à une confirmation de l'hypothèse de la bisexualité] *(ajouté en 1920).*

14. [La différence la plus caractéristique entre notre vie érotique et celle de l'Antiquité consiste en ce que, dans l'Antiquité, l'accent était mis sur la pulsion, alors que nous le mettons sur l'objet. Pendant l'Antiquité, on glorifiait la pulsion, et cette pulsion ennoblissait l'objet, de si petite valeur qu'il fût ; tandis que, dans les temps modernes, nous méprisons l'activité sexuelle en elle-même et ne l'excusons en quelque sorte que par

suite des qualités que nous retrouvons dans son objet] *(ajouté en 1910)*.

15. Je ne puis m'empêcher de rappeler ici la soumission crédule dont font preuve les hypnotisés envers leur hypnotiseur, ce qui m'a fait supposer que la nature de l'hypnose consiste dans la fixation inconsciente de la libido à la personne de l'hypnotiseur (au moyen du facteur masochiste de la pulsion sexuelle).

[S. Ferenczi a cru pouvoir établir des rapports entre la suggestibilité et le « complexe parental » (*Jahrbuch für psycho-analytische und psychopathologische Forschungen*, I, 1909)] *(ajouté en 1910)*.

16. [Il est toutefois à remarquer que la surestimation sexuelle ne se produit pas invariablement lors du choix de l'objet ; et nous apprendrons plus tard à connaître une autre explication plus directe du rôle sexuel des autres parties du corps] *(ajouté en 1915)*. « L'appétit de l'excitation », que font valoir Hoche et I. Bloch, pour expliquer l'extension de l'intérêt sexuel sur des parties autres que les parties génitales, ne me paraît pas avoir l'importance que lui donnent les deux auteurs. Les différentes voies que prend la libido présentent entre elles des rapports qu'on pourrait comparer à ceux des vases communicants, et il faut tenir compte du phénomène des courants collatéraux.

17. [Dans des cas bien caractérisés, on peut constater que la femme ne fait pas de l'homme l'objet d'une « surestimation sexuelle » ; mais il est très rare que cette surestimation ne se porte pas sur son propre enfant] *(ajouté en 1920)*.

18. [Cette faiblesse correspond à une prédisposition constitutionnelle. La psychanalyse a retrouvé dans une intimidation sexuelle prématurée une cause accidentelle qui contribue à détourner l'individu du but sexuel normal, et lui fait rechercher ailleurs des substituts] *(ajouté en 1915)*.

19. [La psychanalyse, en poussant l'étude plus à fond, a permis de critiquer l'affirmation de Binet. Toutes les observations faites dans ce domaine ont établi que le fétiche, quand il est rencontré pour la première fois, a déjà su attirer l'intérêt sexuel, sans que des circonstances concomitantes puissent nous faire comprendre comment ce phénomène s'est produit. D'autre part, toutes les impressions sexuelles « prématurées » ne remontent pas plus haut que la cinquième ou la sixième année de l'individu en question, et la psychanalyse permet de douter que de nouvelles fixations pathologiques puissent se produire si tard.

L'observation des faits nous démontre que, derrière le premier souvenir se rapportant à la formation d'un fétiche, se trouve une phase dépassée et oubliée du développement sexuel, représentée par le fétiche, comme par un « souvenir-écran », qui n'en est qu'un résidu et pour ainsi dire le précipité. L'évolution vers le fétichisme de cette phase qui coïncide avec les premières années de l'enfance, ainsi que le choix du fétiche lui-même, sont déterminés par la constitution de l'enfant] *(ajouté en 1920).*

20. [Dans cet ordre d'idées, le soulier ou la pantoufle devient le symbole des parties génitales de la femme] *(ajouté en 1910).*

21. [La psychanalyse est parvenue à combler une lacune de la théorie du fétichisme, en démontrant le rôle joué par l'amour refoulé des odeurs excrémentielles dans le choix du fétiche. Les pieds et les cheveux dégagent une forte odeur. Ils seront élevés à la dignité de fétiches lorsque les sensations olfactives devenues désagréables auront été abandonnées. Dans le fétichisme du pied, ce sont toujours les pieds sales et malodorants qui deviennent l'objet sexuel. La préférence fétichiste accordée au pied peut trouver aussi une explication dans les théories de la sexualité infantile (voir plus loin). Le pied remplace le pénis, dont l'absence chez la femme est difficilement acceptée par l'enfant] *(ajouté en 1910).*

[Dans certains cas de fétichisme du pied, on a pu établir que la *pulsion de voir* qui, originairement, recherchait les parties génitales, arrêtée en route par des interdictions et des refoulements, s'est fixée sur le pied ou le soulier, devenu par là fétiche. L'organe génital de la femme prend alors, conformément à l'idée que s'en fait l'enfant, la forme de l'organe de l'homme] *(ajouté en 1915).*

22. [Il me paraît indiscutable que l'idée du « beau » a ses racines dans l'excitation sexuelle, et qu'originairement, il ne désigne pas autre chose que ce qui excite sexuellement. Le fait que les organes génitaux eux-mêmes, dont la vue détermine la plus forte excitation sexuelle, ne peuvent jamais être considérés comme beaux, est en relation avec cela] *(ajouté en 1915).*

23. [La psychanalyse retrouve dans cette perversion, comme dans la plupart des autres, une multiplicité inattendue de motifs et de significations. L'exhibitionnisme, par exemple, dépend aussi en grande partie du complexe de castration. On y retrouve une affirmation renouvelée de l'intégrité de l'organe génital mâle, et la satisfaction infantile éprouvée par le petit garçon à l'idée

que cet organe manque à l'appareil génital féminin] *(ajouté en 1920)*.

24. [Ultérieurement, en me fondant sur certaines hypothèses concernant la structure de l'appareil psychique et les grands types de pulsions qui y sont à l'œuvre, j'ai considérablement modifié mon opinion sur le masochisme. J'ai été amené à reconnaître l'existence d'un masochisme *primaire — érogène —* à partir duquel se développent ultérieurement deux autres formes : le masochisme *féminin* et le masochisme *moral*. Le retournement, contre la personne propre, du sadisme qui n'est pas employé dans la vie, est à l'origine d'un masochisme *secondaire* qui vient s'ajouter au masochisme primaire (cf. mon article *Le problème économique du masochisme*, 1924] *(ajouté en 1924)*.

25. [Voir l'observation ultérieure faite sur les phases prégénitales du développement sexuel, et où l'on trouvera confirmation de ce point de vue] *(ajouté en 1915)*.

26. [Les recherches que j'ai citées en dernier conduisent à attribuer, en raison de son origine passionnelle, une place à part au couple antagoniste sadisme-masochisme, et à le détacher ainsi de la série des autres « perversions »] *(ajouté en 1924)*.

27. Il me suffira de citer ici comme preuve le passage extrait du livre de Havelock Ellis (*Psychologie sexuelle*, 1903) : « Tous les cas de sadisme et de masochisme que nous connaissons, même ceux que Krafft-Ebing a cités, nous font toujours retrouver (comme l'ont déjà prouvé Colin, Scott et Féré) des traces des deux catégories de phénomènes dans le même individu. »

28. [Voir ce que nous dirons plus loin au sujet de l' « ambivalence »] *(ajouté en 1915)*.

29. [Il faut, d'autre part, considérer aussi les forces qui endiguent le développement sexuel, telles que dégoût, pudeur et morale, comme des dépôts historiques des inhibitions extérieures que la pulsion sexuelle s'est vu imposer dans la psychogénèse de l'humanité. On peut observer facilement que la répercussion de ces inhibitions se fait sentir spontanément dans le développement de l'individu, lorsque l'éducation et d'autres influences extérieures la provoquent] *(ajouté en 1915)*.

30. [Je voudrais dire ici, anticipant sur l'étude de la genèse des perversions, qu'on a des raisons d'admettre (nous avons pu le constater dans le cas du fétichisme) qu'un commencement de développement sexuel normal a pu précéder leur fixation. La psychanalyse a pu, jusqu'ici, montrer par certains cas particu-

liers que la perversion est en quelque sorte le résidu d'un développement vers le complexe d'Œdipe, après le refoulement duquel prévaudra la composante qui selon la constitution était la plus importante dans la pulsion sexuelle] *(ajouté en 1920)*.

31. [C'est seulement pour compléter, et non pour infirmer ce que je viens de dire, que je prétends : les symptômes névrotiques sont, d'une part, fondés sur les exigences des pulsions libidinales, et, d'autre part, sur l'opposition du moi, qui leur oppose une réaction] *(ajouté en 1920)*.

32. *Études sur l'hystérie*, 1895. J. Breuer dit, en parlant de la malade à laquelle il avait appliqué pour la première fois la méthode cathartique : « La sexualité était demeurée dans un état extraordinairement rudimentaire. »

33. Les fantasmes clairement conscients des pervers — qui, dans des circonstances favorables, peuvent se transformer en comportements agencés —, les craintes délirantes des paranoïaques — qui sont projetées sur d'autres avec un sens hostile —, les fantasmes inconscients des hystériques — que l'on découvre par la psychanalyse derrière leurs symptômes —, toutes ces formations coïncident par leur contenu jusqu'aux moindres détails.

34. On trouve souvent la psychonévrose associée à une inversion manifeste. Dans ce cas, le courant hétérosexuel a été entièrement réprimé. Pour rendre justice à W. Fliess de Berlin, j'avoue que je dois à une de ses communications d'avoir eu l'attention attirée sur le fait qu'on retrouve toujours et nécessairement une tendance à l'inversion dans les cas de psychonévrose, fait que moi-même j'avais pu constater dans des cas particuliers. [Cette découverte, qui, jusqu'ici, n'a pas encore été appréciée à sa juste valeur, est appelée à exercer une influence déterminante sur toutes les théories de l'homosexualité] *(ajouté en 1920)*.

35. [La théorie des pulsions est la partie la plus importante mais aussi la moins achevée de la doctrine psychanalytique. Dans mes travaux ultérieurs (*Au-delà du principe de plaisir*, 1920 ; *Le moi et le ça*, 1923) j'ai apporté de nouveaux développements à la théorie des pulsions] *(ajouté en 1924)*.

36. [Il n'est pas facile de justifier ici cette hypothèse, qui m'a été suggérée par l'étude d'une classe particulière de névroses. Mais, d'autre part, il ne paraît pas possible de dire quelque chose de définitif sur les pulsions sexuelles sans en faire état] *(ajouté en 1915)*.

37. On se rappellera la construction de Moll, selon laquelle la pulsion sexuelle se décompose en pulsion de contrectation (attouchement), et de détumescence.

### Deuxième essai

38. [Il est d'ailleurs impossible de déterminer exactement la part qu'il faut donner aux antécédents héréditaires, avant d'avoir apprécié celle qui revient aux antécédents personnels de l'enfant] *(ajouté en 1915)*.

39. Cette affirmation m'a semblé plus tard si hardie que je me suis imposé de la vérifier par de nouvelles recherches dans la littérature traitant le sujet. Ces recherches sont venues confirmer mon opinion. L'étude des manifestations psychiques et somatiques de la sexualité chez l'enfant est à peine commencée. Un auteur, S. Bell (*A preliminary study of the emotion of love between the sexes*, *American Journal of Psychology*, XIII, 1902), s'exprime ainsi : « *I know of no scientist, who has given a careful analysis of the emotion as it is seen in the adolescent.* » Les manifestations sexuelles somatiques de la période prépubère n'ont attiré l'attention que dans leurs rapports avec des manifestations de dégénérescence, ou en tant que manifestations de dégénérescence elles-mêmes. Un chapitre sur la vie amoureuse de l'enfant fait défaut, dans tous les exposés que j'ai lus sur la psychologie de cet âge. Par exemple, dans les travaux bien connus de Preyer, Baldwin (*Mental development in the child and the race*, 1895) ; Perez (*L'enfant de trois à sept ans*, 1894) ; Strümpell (*Die pädagogische Pathologie*, 1899) ; K. Groos (*Das Seelenleben des Kindes*, 1904) ; Th. Heller (*Grundriss der Heilpädagogik*, 1904) ; Jame Sully (*Studies of childhood*, 1895), etc. Pour se rendre compte de l'état actuel de la question, on peut consulter la revue *Die Kinderfehler* (à partir de 1896). Il est toutefois évident que l'existence de l'amour dans la vie de l'enfant n'est plus à démontrer. Perez *(l. c.)* la défend ; K. Gross (*Die Spiele der Menschen*, 1899) rappelle, comme une chose connue, le fait que « certains enfants sont accessibles de bonne heure aux émotions sexuelles et éprouvent vis-à-vis du sexe opposé un besoin d'attouchements ». Le cas le plus précoce d'apparition d'amour sexuel (sex-love), dans une série d'observations faites par S. Bell, est celui d'un enfant de trois ans. Voir également Havelock Ellis (*Psychologie sexuelle*, Appendice II).

Le jugement porté ci-dessus sur la littérature de la sexualité infantile ne peut plus être maintenu dans son entier après la publication du travail important de Stanley Hall (*Adolescence, its psychology and its relations to physiology, anthropology, sociology, sex, crime, religion and education*, New York, 1908). Le récent livre de A. Moll (*Das Sexualleben des Kindes*, Berlin, 1909), au contraire, n'infirme pas mon jugement. Voir, par contre, Bleuler, *Sexuelle Abnormitäten der Kinder* (*Jahrbuch der schweizerischen Gesellschaft für Schulgesundheitspflege*, IX, 1908). Un livre de la doctoresse H. v. Hug-Hellmuth (*Aus dem Seelenleben des Kindes*, 1913) a mis en pleine valeur le facteur sexuel négligé jusque-là.

40. J'ai essayé de résoudre un des problèmes relatifs aux souvenirs les plus lointains de l'enfance, dans un article intitulé *Les souvenirs-écrans* et publié en 1899. (Cf. *Psychopathologie de la vie quotidienne*, ch. IV.)

41. [On ne peut comprendre le mécanisme du refoulement, si l'on ne prend en considération qu'un seul de ces deux processus dont l'action est connexe. On peut suggérer une comparaison avec le touriste qu'on amène au sommet de la pyramide de Giseh ; il est poussé d'un côté et tiré de l'autre] *(ajouté en 1915)*.

42. Ce matériel d'observations est utilisable parce que — comme on était fondé à le croire — les années d'enfance des futurs névrosés ne se distinguent pas de celles des individus restés normaux par la nature des impressions vécues, mais par l'intensité et la précision de ces impressions.

43. On trouverait le parallèle anatomique de cette théorie sur la sexualité infantile dans l'observation originale faite par Bayer (*Deutsches Archiv für Klinische Medizin*, LXXIII) d'après laquelle l'organe sexuel interne (utérus) du nouveau-né est, en général, plus volumineux que celui d'enfants plus âgés. Cependant, il n'est pas prouvé, comme le prétend Halban, qu'une involution se ferait aussi dans les autres parties de l'appareil génital après la naissance. D'après Halban (*Zeitschrift für Geburtshilfe und Gynäkologie*, LIII, 1904), ce processus régressif serait achevé quelques semaines après le début de la vie extra-utérine.

[Les auteurs qui considèrent la partie interstitielle des glandes génitales comme l'organe de détermination sexuelle ont été amenés, de leur côté, par des recherches anatomiques, à parler de la vie sexuelle de l'enfant et de sa période de latence.

J'extrais du livre de Lipschütz sur la glande de la puberté, cité

plus haut (voir note n° 13) : « On se rapprochera davantage de la
vérité en disant que le développement des attributs sexuels, qui
s'accomplit au temps de la puberté, marque le terme d'un
processus dont la vitesse s'est accrue à ce moment, mais qui a
commencé bien plus tôt, d'après nous, et déjà pendant la vie
fœtale... *Ce qu'on a appelé jusqu'ici, tout simplement, puberté
n'est probablement qu'une seconde phase importante de la puberté
qui apparaît vers le milieu de la seconde décennie de l'homme...*
L'enfance, qui va de la naissance jusqu'au commencement de
cette seconde phase importante, pourrait être désignée comme la
*phase intermédiaire de la puberté.* »

La concordance relevée dans une critique de Ferenczi (*Internationale Zeitschrift für Psychoanalyse*, VI, 1920) entre les constatations anatomiques et l'observation psychologique est infirmée
par le fait que le *premier point culminant* du développement des
organes sexuels se place au commencement de la période
embryonnaire, tandis que la première éclosion de la vie sexuelle
de l'enfant apparaît entre la troisième et la quatrième année. Le
moment de la formation anatomique et celui du développement
psychique ne doivent évidemment pas coïncider exactement. Des
recherches à cet égard ont été faites sur les glandes génitales de
l'homme. Comme, d'autre part, on ne peut pas constater chez les
animaux une période de latence dans le sens psychologique, il
serait fort important de savoir si les constatations anatomiques,
sur lesquelles les auteurs se fondent pour établir qu'il y a deux
points culminants dans le développement sexuel, peuvent aussi
être faites pour d'autres espèces supérieures du règne animal]
*(ajouté en 1920).*

44. J'emprunte l'expression « période de latence sexuelle » à
W. Fliess.

45. [Dans le cas cité ici, la sublimation des pulsions sexuelles
se fait par formation réactionnelle. En général, cependant, il est
permis de distinguer la sublimation et la formation réactionnelle
comme deux processus différents. Des sublimations peuvent
aussi se produire par d'autres mécanismes plus simples] *(ajouté
en 1915).*

46. Dans le *Jahrbuch für Kinderheilkunde*, XIV, 1879.

47. On a déjà ici la preuve d'un fait qui se vérifiera pendant la
vie de l'adulte, à savoir que la satisfaction sexuelle est le meilleur
remède contre l'insomnie. La plupart des cas d'insomnie nerveuse sont dus à une insatisfaction sexuelle. On sait que des

nourrices peu consciencieuses calment et endorment les enfants qui leur sont confiés en leur caressant les organes génitaux.

48. [Le docteur Galant a publié, en 1919, dans le *Neurologisches Zentralblatt*, 20, sous le titre : « Das Lustscherli » (La sucette), l'aveu d'une jeune fille qui n'avait pas abandonné cette forme d'activité sexuelle et qui décrit la satisfaction que donne la sucette comme absolument équivalente à une satisfaction sexuelle, en particulier à celle donnée par le baiser de l'amant.

« Tous les baisers ne donnent pas la joie que donne la sucette. Non, non, loin de là ! On ne peut pas décrire la sensation de bien-être qui vous parcourt tout le corps lorsqu'on suce quelque chose, on n'est plus de ce monde, on est tout à fait content, et on n'a plus de désirs. C'est un sentiment extraordinaire. On n'aspire plus qu'à la paix, une paix que rien ne devrait plus troubler. C'est indiciblement beau : on ne sent aucune douleur, aucun mal et l'on est comme transporté dans un autre monde »](*ajouté en 1920*).

49. [Ellis, il est vrai, définit le terme auto-érotique un peu différemment, dans le sens d'une excitation qui ne serait pas provoquée par l'extérieur, mais déterminée de l'intérieur. Pour la psychanalyse, ce n'est pas la genèse, mais la relation avec l'objet qui est l'essentiel] (*modifié en 1920*).

50. [Après plus amples réflexions, et l'emploi d'autres observations, on en est arrivé à attribuer la qualité d'érogénéité à toutes les parties du corps et aux organes internes. Voyez, à l'appui de ceci, ce que nous disons plus loin sur le narcissisme] (*modifié en 1915*).

51. [Il est difficile d'éviter, dans les explications biologiques, de ne céder à aucune conception finaliste, bien que l'on n'ait dans les cas particuliers aucune garantie contre l'erreur] (*ajouté en 1920*).

52. Voir la littérature très abondante, encore que confuse, sur l'onanisme. Par ex. Rohleder, *Die Masturbation*, 1899, et le deuxième volume des *Wiener psychoanalytischen Vereinigung*, « Die Onanie », Wiesbaden, 1912.

53. Voir mon article : *Caractère et érotisme anal*, 1908. Et aussi : *Les transformations de la pulsion et en particulier dans l'érotisme anal*, 1917.

54. [Dans un article qui a contribué à nous faire comprendre l'importance qu'il fallait attacher à l'érotisme de la zone anale (*Anal und Sexual, Imago*, IV, 1916), Lou Andreas-Salomé a

démontré que la première défense faite à l'enfant, qui a trait au plaisir procuré par l'activité anale et ses produits, détermine tout son développement ultérieur. A cette occasion, le petit être sent pour la première fois qu'il est entouré d'un monde hostile à la manifestation de ses pulsions ; il apprend à distinguer entre sa petite personne et ces étrangers, et à refouler pour la première fois ses possibilités de plaisir. Dès lors, l' « anal » devient le symbole de tout ce qui est défendu, de tout ce qu'il faut écarter de sa vie. La séparation absolue exigée plus tard entre les zones anale et génitale est en contradiction avec les relations de voisinage anatomique et d'analogie fonctionnelle qui les caractérisent. L'appareil génital reste voisin du cloaque ; « chez la femme, il n'en est même guère qu'une partie prise en location »] *(ajouté en 1920).*

55. [L'emploi de techniques particulières, dans la pratique de l'onanisme à un âge plus avancé, n'est qu'un essai de tourner la défense qui fut faite de cette pratique pendant l'enfance] *(ajouté en 1915).*

56. [Nous avons encore besoin d'approfondir les raisons pour lesquelles le sentiment de culpabilité des névrosés (comme l'a prouvé encore dernièrement Bleuler) se rattache toujours au souvenir d'une activité onaniste exercée le plus souvent au moment de la puberté. Grossièrement, cette relation peut s'exprimer ainsi : l'onanisme représente à lui seul presque toute l'activité sexuelle de l'enfant et est à même par conséquent d'assumer le sentiment de culpabilité attaché à toute cette activité] *(ajouté en 1915 et 1920).*

57. Havelock Ellis rapporte dans un appendice à son étude intitulée : *Psychologie sexuelle,* une suite de témoignages autobiographiques de sujets devenus manifestement normaux, sur leurs premiers mouvements sexuels pendant l'enfance, et les conditions dans lesquelles ils se sont produits. Ces témoignages présentent naturellement une lacune qui correspond au temps de l'amnésie infantile, cette préhistoire de la vie sexuelle, et qui ne peut être comblée chez un individu devenu névrosé que par la psychanalyse. Cependant, ces témoignages sont précieux à plus d'un point de vue et ce sont des renseignements de ce genre qui m'ont déterminé à modifier mes hypothèses étiologiques dans le sens de mon texte.

58. [J'ai été amené, en 1915, à ces conclusions sur la sexualité infantile par les résultats de recherches psychanalyti-

ques pratiquées sur des adultes. L'observation directe de l'enfant ne pouvait alors être librement pratiquée et n'avait donné que des indications isolées et d'intéressantes constatations. Depuis, nous avons réussi, en analysant quelques cas particuliers de névrose infantile, à pénétrer plus directement la psychosexualité de l'enfant (*Jahrbuch für psychoanalytische und psychopathologische Forschungen*, I, 1909, et sq.). Je suis heureux de constater que l'observation directe n'a fait que confirmer les conclusions auxquelles avait abouti la psychanalyse, ce qui est un témoignage probant de la légitimité de cette méthode d'investigation.

L'analyse de la phobie d'un petit garçon de cinq ans (le petit Hans) nous a appris beaucoup de choses auxquelles ne nous avait pas préparés la psychanalyse, par exemple que la symbolique sexuelle, la représentation du sexuel par des objets et des relations non sexuelles remonte aux premiers essais que fait l'enfant pour s'exprimer par la parole. En outre, je fus forcé de me rendre compte que j'avais faussé l'explication précédente en établissant, par souci de clarté, une succession chronologique entre les deux phases de l'auto-érotisme et de l'amour objectal.

En effet, les analyses rapportées plus haut, ainsi que les communications faites par Bell, nous apprennent que des enfants de trois à cinq ans sont déjà nettement capables d'opérer un choix sexuel de caractère objectal, et que ce choix peut éveiller en eux de fortes émotions] *(ajouté en 1910)*.

59. [Il est permis de parler d'un complexe de castration chez la femme également. Les enfants des deux sexes imaginent une théorie d'après laquelle la femme aurait eu, à l'origine, un pénis qu'elle aurait perdu par castration. Lorsque les garçons sont enfin convaincus que la femme n'a jamais possédé de pénis, il arrive souvent qu'ils conçoivent un mépris durable pour l'autre sexe] *(ajouté en 1920)*.

60. [Les théories sexuelles sont très nombreuses pendant ces dernières années de l'enfance. Je n'en ai donné ici que quelques exemples] *(ajouté en 1924)*.

61. [Sur les restes de cette phase chez les névrosés adultes, voir l'ouvrage d'Abraham (*Untersuchungen über die früheste prägenitale Entwicklungsstfe der Libido. Internationale Zeitschrift für Psychoanalyse*, IV, 1916). Dans un travail ultérieur (*Versuch einer Entwicklungsgeschichte der Libido*, 1924), Abraham a subdivisé aussi bien ce stade oral que le stade sadique-anal qui lui succède, en deux phases dont chacune est caractérisée par un

comportement différent à l'égard de l'objet] *(ajouté en 1924).*

62. [Abraham fait remarquer (dans l'article mentionné en dernier) que l'anus provient de la bouche primitive (blastopore) de l'embryon, fait biologique qui apparaît comme le prototype de l'évolution psychosexuelle] *(ajouté en 1924).*

63. [En 1923 j'ai modifié ces vues en introduisant dans le développement de l'enfant une troisième phase qui se situe après les deux organisations prégénitales. Dans cette phase qui mérite déjà d'être nommée génitale, on trouve un objet sexuel et une certaine convergence des tendances sexuelles sur cet objet. Mais il existe une différence essentielle entre elle et l'organisation définitive à l'époque de la maturité sexuelle : cette phase ne connaît qu'une seule sorte d'organe génital, l'organe masculin. C'est pour cette raison que je l'ai nommé stade d'organisation phallique (*L'Organisation génitale infantile. Inter. Zeitschr. f. Psa.*, IX, 1923). D'après Abraham, elle trouve son prototype biologique dans le caractère indifférencié entre les deux sexes de l'appareil génital chez l'embryon] *(ajouté en 1924).*

64. Certaines personnes se souviennent qu'en se balançant, elles ont éprouvé un plaisir sexuel, lorsque l'air venait au contact de leurs parties génitales.

65. [L'analyse des cas de troubles de la marche et d'agoraphobie, lève le doute concernant la nature sexuelle du plaisir de se mouvoir. On sait que l'éducation moderne fait grand usage des sports pour détourner la jeunesse de l'activité sexuelle : il serait plus juste de dire qu'elle remplace la jouissance spécifiquement sexuelle par celle que provoque le mouvement, et qu'elle fait régresser l'activité sexuelle à une des composantes auto-érotiques] *(ajouté en 1910).*

66. [Ce qu'on appelle le masochisme « érogène »] *(ajouté en 1924).*

67. [La conséquence qu'il faut irréfutablement tirer de l'exposé ci-dessus, c'est qu'il faut attribuer, à chaque individu, un érotisme oral, anal, uréthral, etc., et que la constatation de complexes psychiques correspondant à ces formes d'érotisme ne doit pas faire conclure à une anomalie ou à une névrose. Les différences qui séparent le normal de l'anormal ne peuvent résider que dans l'intensité relative des différentes composantes constitutives de la pulsion sexuelle, et dans le rôle qu'elles sont appelées à jouer au cours de leur développement] *(ajouté en 1920).*

*Troisième essai*

68. [L'exposé schématique que nous donnons ici est destiné, avant tout, à faire ressortir les différences. Nous avons montré plus haut dans quelle mesure la sexualité infantile se rapproche de l'organisation sexuelle définitive par le choix de l'objet et par le développement de la phase phallique] *(ajouté en 1915)*.

69. [Cf. ma tentative pour résoudre ce problème dans les remarques introductrices de mon article *Le Problème économique du masochisme*] *(ajouté en 1924)*.

70. Voir l'essai que j'ai publié, en 1905, et intitulé : *Le Mot d'esprit et ses rapports avec l'inconscient*. Par des jeux d'esprit, on anticipe sur le plaisir, et ce plaisir anticipé ouvre à son tour la voie à un plaisir plus intense, parce qu'il écarte certaines inhibitions intérieures.

71. Il n'est pas sans intérêt de constater que le terme « *Lust* » (plaisir en allemand) rend compte du double rôle que jouent les excitations sexuelles, qui, d'une part, comportent une satisfaction partielle et, d'autre part, contribuent à entretenir la tension sexuelle. Le terme « *Lust* » a un double sens. Il désigne aussi bien la sensation de la tension sexuelle, le désir ( « *Ich habe Lust* » veut dire : « Je voudrais quelque chose, j'ai envie de quelque chose ») que le sentiment de satisfaction éprouvé.

72. Voir l'ouvrage déjà cité de Lipschütz, p. 13.

73. [Cette limitation n'a plus la même valeur depuis que d'autres névroses que les « névroses de transfert » sont devenues plus accessibles à la psychanalyse] *(ajouté en 1924)*.

74. Voir note précédente.

75. Voir *Pour introduire le narcissisme*, 1914. Dans cet essai, le terme « narcissisme » est attribué par erreur à Naecke, alors que c'est H. Ellis qui l'a créé.

76. [Il faut bien se rendre compte que les concepts « masculin » et « féminin » qui, pour l'opinion courante, ne semblent présenter aucune équivoque, envisagés du point de vue scientifique, sont des plus complexes. Ces termes s'emploient dans *trois* sens différents. « Masculin » et « féminin » peuvent être les équivalents d' « activité » et « passivité » ; ou bien, ils peuvent être pris dans le sens *biologique*, ou enfin dans le sens *sociologique*. La psychanalyse tient compte essentiellement de la première de

ces significations. C'est ainsi que nous avons caractérisé tout à l'heure la libido comme « masculine ». En effet, la pulsion est toujours active, même quand son but est passif. C'est pris dans le sens biologique que les termes « masculin » et « féminin » se prêtent le mieux à des définitions claires et précises. « Masculin » et « féminin » indiquent alors la présence chez un individu ou bien de glandes spermatiques, ou bien de glandes ovulaires, avec les fonctions différentes qui en dérivent. L'élément « actif » et ses manifestations secondaires, telles qu'un développement musculaire accentué, une attitude d'agression, une libido plus intense, sont d'ordinaire liés à l'élément « masculin » pris dans le sens biologique, mais il n'est pas nécessaire qu'il en soit ainsi. Dans un certain nombre d'espèces, nous constatons en effet que les caractères que nous venons d'énumérer appartiennent aux femelles. Quant au sens sociologique que nous attribuons aux termes « masculin » et « féminin », il est fondé sur les observations que nous faisons tous les jours sur les individus des deux sexes. Celles-ci nous prouvent que ni du point de vue biologique ni du point de vue psychologique, les caractères d'un des sexes chez un individu n'excluent ceux de l'autre. Tout être humain, en effet, présente, au point de vue biologique, un mélange des caractères génitaux propres à son sexe et des caractères propres au sexe opposé, de même qu'un mélange d'éléments actifs et passifs, que ces éléments d'ordre psychique dépendent ou non des caractères biologiques] *(ajouté en 1915).*

77. [La psychanalyse nous apprend que le choix de l'objet sexuel se fait de deux manières différentes. Il peut, comme nous l'avons vu plus haut, *s'étayer* sur certains modèles dont les origines remontent à la première enfance, ou bien présenter les caractères inhérents au *narcissisme,* où l'individu recherche son moi et le retrouve dans une autre personne. Ce dernier mode prend une importance toute particulière dans les cas pathologiques ; mais ceci n'entre pas dans les cadres que nous nous sommes tracés ici] *(ajouté en 1915).*

78. Je conseille à ceux que mes interprétations pourraient choquer de lire le passage de Havelock Ellis, *Psychologie sexuelle,* où l'auteur traite des rapports entre la mère et l'enfant, avec une interprétation qui se rapproche fort de la mienne.

79. C'est à un petit garçon de trois ans que je dois mes connaissances sur l'origine de l'angoisse infantile. Un jour qu'il se trouvait dans une chambre sans lumière, je l'entendis crier :

« Tante, dis-moi quelque chose, j'ai peur, parce qu'il fait si noir. » La tante lui répondit : « A quoi cela te servira-t-il, puisque tu ne peux pas me voir. — Ça ne fait rien, répondit l'enfant, du moment que quelqu'un parle, il fait clair. » L'enfant n'avait donc pas peur de l'obscurité, mais il était angoissé par l'absence d'une personne aimée, et il pouvait promettre d'être tranquille dès le moment où cette personne faisait sentir sa présence. [Un des résultats les plus importants de la psychanalyse consiste précisément à avoir pu montrer que l'angoisse névrotique naît de la libido, qu'elle est un produit de cette dernière, comme le vinaigre l'est du vin. Pour de plus amples détails, voir mon *Introduction à la Psychanalyse*, 1917, bien que je ne puisse prétendre y donner la solution définitive du problème] *(ajouté en 1920)*.

80. [Voir ce que j'ai dit plus haut sur le choix sexuel de l'enfant et sur les « courants de tendresse »] *(ajouté en 1915)*.

81. [Il est à supposer que la barrière contre l'inceste est chose acquise par l'humanité, et, comme tant d'autres tabous faisant partie de notre moralité, qu'elle a été fixée chez beaucoup d'individus par hérédité. (Voir Freud, *Totem et Tabou*, 1913.) Toutefois, la psychanalyse nous révèle combien l'individu a encore à lutter dans les périodes de son développement pour vaincre les tentations qui le poussent vers l'inceste, et qu'il arrive fréquemment encore qu'il y succombe, soit en imagination, soit même en réalité] *(ajouté en 1915)*.

82. [Les fantasmes du temps de la puberté, qui ont pour point de départ les investigations sexuelles que l'enfant a fini par abandonner, peuvent même exister avant la fin de la période de latence. Ils peuvent, en totalité ou en partie, rester dans l'inconscient. C'est aussi pourquoi il est souvent impossible de fixer la date de leur apparition. Ils sont d'une grande importance pour la genèse de différents symptômes, dont ils constituent, pour ainsi dire, les stades préparatoires, les formes sous lesquelles certaines composantes de la libido refoulées trouvent leur satisfaction. Ils sont aussi les prototypes des fantasmes nocturnes, qui deviennent conscients sous forme de rêves. Les rêves ne sont souvent pas autre chose qu'un renouvellement de fantasmes de ce genre, sous l'influence d'excitations subies pendant l'état de veille, et non encore résorbées ( « restes diurnes »). Parmi les fantasmes sexuels du temps de la puberté, il en est qui sont caractérisés par ce fait qu'ils se produisent chez

presque tout individu, quelles que soient ses expériences personnelles. Dans cet ordre d'idées, mentionnons les visions d'après lesquelles l'enfant se représente qu'il a assisté au coït de ses parents, qu'une personne aimée l'a séduit prématurément, qu'il est menacé d'être châtré, et que, séjournant dans le sein de sa mère, il y a passé par toutes sortes de vicissitudes, ou enfin ce que l'on appelle le « roman familial » où l'adolescent construit toute une légende à partir de la différence entre sa position ancienne par rapport à des parents et sa position actuelle. O. Rank, dans un écrit intitulé *Der Mythus von der Geburt des Helden*, 1909, montre les rapports qui existent entre les fantasmes de ce genre et la mythologie.

On a raison de dire que le complexe d'Œdipe est le complexe nucléaire des névroses, qu'il constitue la partie la plus essentielle du contenu de ces maladies. C'est en lui que la sexualité infantile, qui exercera ultérieurement une influence décisive sur la sexualité de l'adulte, atteint son point culminant. Tout être humain se voit imposer la tâche de maîtriser le complexe d'Œdipe ; s'il faillit à cette tâche, il sera un névrosé. La psychanalyse nous a appris à apprécier de plus en plus l'importance fondamentale du complexe d'Œdipe, et nous pouvons dire que ce qui sépare adversaires et partisans de la psychanalyse, c'est l'importance que ces derniers attachent à ce fait] *(ajouté en 1920).* [Dans un autre travail (*Le Traumatisme de la naissance*, 1924) Rank a rapporté l'attachement à la mère à la période embryonnaire, et indiqué ainsi le fondement biologique du complexe d'Œdipe. A la différence de ce qui est dit plus haut, il fait dériver la barrière contre l'inceste de l'impression traumatique de l'angoisse de la naissance] *(ajouté en 1924).*

83. Voir les explications sur le caractère de fatalité donné par le mythe au destin d'Œdipe dans *La Science des rêves,* 1900.

84. Voir mon essai intitulé *Sur un type particulier de choix d'objet chez l'homme,* 1910.

85. [Un très grand nombre de particularités de la vie amoureuse, ainsi que le caractère compulsionnel que prennent les passions amoureuses, ne peuvent être compris que si l'on se reporte à l'enfance et qu'on y voie les répercussions des phénomènes qui se sont manifestés à cette époque et dont l'action se fait encore sentir] *(ajouté en 1915).*

86. Il y a lieu ici de mentionner un écrit de Ferenczi, dont l'excès d'imagination ne doit pas cacher la richesse d'idées

(*Versuch einer Genitaltheorie*, 1924). Il fait dériver la vie sexuelle des animaux supérieurs de l'histoire de leur évolution biologique.

### Résumé

87. [Cela n'est pas seulement vrai pour les tendances à la perversion qui apparaissent dans les névroses en « négatif », mais encore pour les tendances « positives », ou perversions proprement dites. On aurait donc tort de ramener exclusivement les perversions proprement dites à des tendances infantiles qui se seraient fixées, et il faut les considérer aussi comme une régression vers ces tendances dues au fait que d'autres courants de la vie sexuelle n'ont pu avoir leur libre développement. C'est pourquoi les perversions « positives » peuvent, elles aussi, être traitées par les procédés de la thérapie psychanalytique] *(ajouté en 1915).*

88. [On constate souvent, au début de la période de puberté, l'existence d'un courant de sexualité normale, mais qui, trop faible pour résister aux premiers obstacles venus du dehors, se perd et fait place à une régression qui aboutira à une perversion] *(ajouté en 1915).*

89. [On a pu établir que même certains traits de caractère présentent des rapports avec des composantes érogènes déterminées. Ainsi, on peut faire dériver l'entêtement, la parcimonie et l'esprit d'ordre, de l'activité de la zone érotique anale. Une forte disposition uréthrale-érotique fera des ambitieux] *(ajouté en 1920).*

90. Émile Zola, qui connaissait bien la nature humaine, nous décrit, dans *La joie de vivre*, une jeune fille qui, de gaieté de cœur et par pur désintéressement, sacrifie à ceux qu'elle aime tout ce qu'elle possède et tout ce qu'elle pourrait revendiquer, sa fortune et ses aspirations les plus chères, sans en attendre de récompense. Cette jeune fille, quand elle était enfant, était possédée par un besoin si insatiable de tendresse, que, se voyant une fois préférer une autre petite fille, elle avait commis une cruauté.

91. On peut supposer que la forte tendance qu'ont certaines impressions à se fixer est due à l'intensité de l'activité sexuelle physique, à une époque antérieure.

# DU MÊME AUTEUR

*Impression Bussière à Saint-Amand (Cher),*
*le 26 octobre 1985.*
*Dépôt légal : octobre 1985.*
*1ᵉʳ dépôt légal dans la collection : janvier 1985.*
*Numéro d'imprimeur : 2737.*
ISBN 2-07-032282-3./Imprimé en France